お金に好かれる!

金運風水

李家幽竹

ダイヤモンド社

はじめに

自分の金運は、「お金持ち」と呼ばれる人たちの金運と違うと思っていませんか？

だとしたら、それは大きな間違いです。

金運は決して生まれついてのものではありません。

お金に好かれる法則を知り、それをきちんと実践すれば、どんな人でも自分が望む「お金持ち」になれるのです。

今、「お金がない」「金運がわるい」と感じている人は、自分の環境に「金毒《ごんどく》」と呼ばれるお金を消耗させるわるい気がたまっているのかもしれません。

金毒は、その人の金運を知らないうちにどんどん奪い、お金を生み出せない体質を作り出す恐ろしいもの。金運に恵まれるためには、まずは環境にたまった「金毒」を浄化することが大切なのです。


また、お金は「豊か」で「楽しい」ことから生み出されます。

たとえば、カフェでお茶を飲むとき、「何でもいい」「安いほうにしよう」ではなく、自分が本当に満足できるものを選ぶ……たったそれだけのことで、ただ「お茶を飲んだ」のではなく、充実という「豊かさ」を得たことになるのです。

お金は、あなたの暮らしを楽しく豊かにしてくれる大切なもの。
おいしいものを食べたり、旅行に出かけたり、自分に似合う服や雑貨を買ったり……そういった「豊かさ」や「楽しみ」はお金があってこそ得られるものです。
この豊かさをもっとたくさん味わうために、この本をぜひ活用してください。

李家幽竹

お金に好かれる！　金運風水――目次

1章 金運風水って、どんなもの？……15

2章 しっかり貯めて、増やす風水 33

3章 ふだんの生活でお金がどんどん集まる風水

4章　豊かさを呼び寄せる食風水 …… 123

5章

知っておきたい風水の基礎知識

運は決められたものではなく、自分で変えるもの

風水では、「人は環境によって生かされている」と考えます。つまり、今の自分の運は、身の回りの環境によって形作られているということです。ここでいう環境とは、衣食住はもちろんのこと、人間関係や話す言葉、行動、考え方まで、自分を取り巻くすべてのものごとを指します。本人が自覚していてもしていなくても、運のいい人は運のいい環境に身を置くことで幸せを呼び込んでいるし、がんばっているのになぜか運のわるい人の環境の中には、必ず運気を落としている「わるい原因」がある……そうであれば、もっと幸せになりたい、もっといい運を手に入れたいと思うなら、自分の運気を落としている原因を見つけて取り除き、運気を上げるための風水を実践していけばいい、つまり、自分が身を置くその「環境」を変えればいいということになります。

そう、運というのは自分の力でいくらでも変えていけるものなのです。

陰陽と五行のバランスが開運のカギ

風水は、人体、土地、地理、天文・地文など、森羅万象における法則を経験的事実に基づいて体系化したもの。簡単にいえば、よりよい運を手に入れるためのマニュアルのようなものです。そのベースとなっているのが、陰陽五行説。陰陽説とは、すべてのものに「男・女」「明・暗」のように対立する2つの相反する性質があり、それぞれが支え合いながら成り立っているという考え方です。陰と陽はどちらも必要な要素であり、両者のバランスがうまくつり合っていることが開運のカギになります。

また、五行説とは、この世のすべてのものは「木《もく》・火《か》・土《ど》・金《ごん》・水《すい》」の5つの要素（五行）に分類されるという考え方。五行はそれぞれ異なる運気をつかさどって

陰陽例

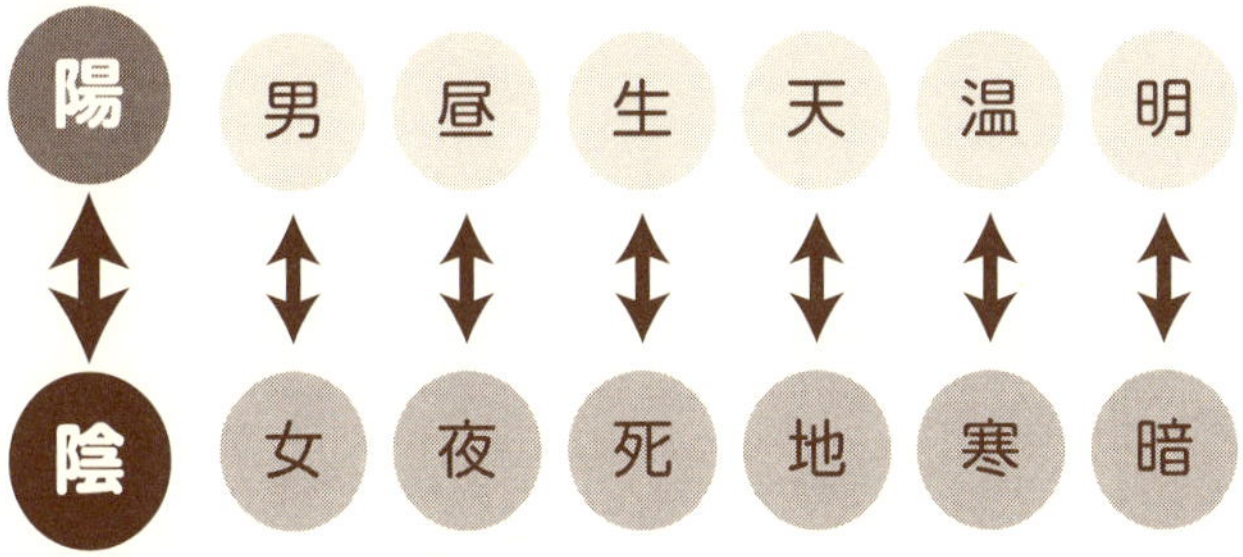

「陽がよくて陰が悪い」ということではなく、陰と陽の両方をちょうどよい割合であわせ持つことが大切です。

いて、「木」の気は若さやチャンス、「火」の気は美しさや知性、ステータス、「土」の気は財や安定、「金」の気は楽しみごとや豊かさ、「水」の気は愛情を、というように、その性質に応じてさまざまなものをもたらしてくれます。さらに、五行はお互いに生かし合ったり（相生《そうじょう》）、対立したり（相剋《そうこく》）しているため、運気アップのためにはお互いの関係をうまく利用することが重要になってきます。

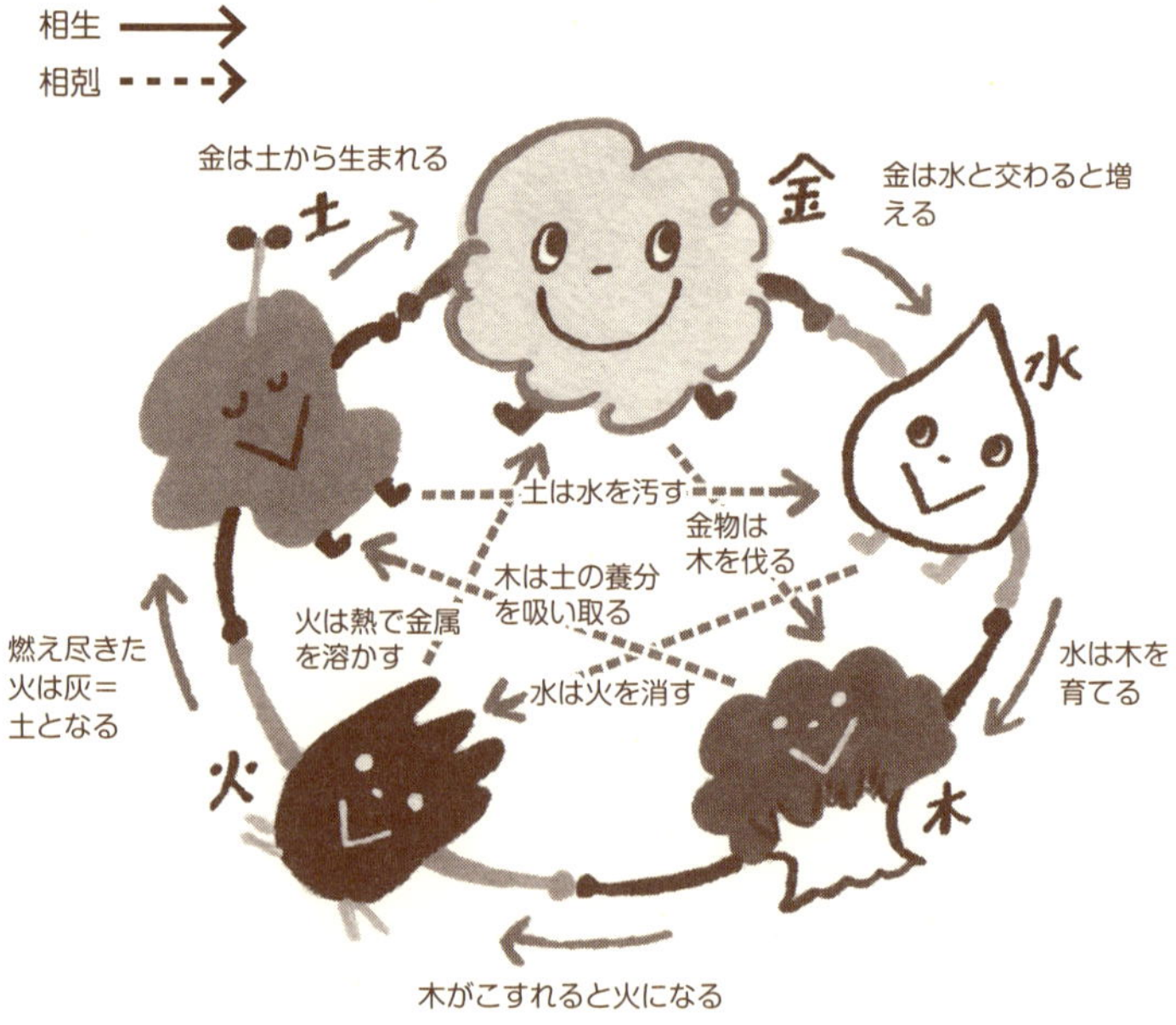

相生
相剋
金は土から生まれる
金
金は水と交わると増える
土
水
土は水を汚す
金物は木を伐る
木は土の養分を吸い取る
火は熱で金属を溶かす
燃え尽きた火は灰＝土となる
水は火を消す
水は木を育てる
火
木
木がこすれると火になる

金運は「土」から生じ、「水」で増える

金運をつかさどっているのは、文字通り「金」の気ですが、「金」の気だけを鍛えれば金運が上がるというわけではありません。風水には、「金は土の中から生まれ、水に交わると増える」という法則があります。つまり、「金」の気を豊かにするためには、「金」を生み出す「土」の気と、「金」の気を増やす「水」の気という2つの要素が必要になってくるのです。

逆に、相剋（敵対）関係にある「火」の気には要注意。過剰な「火」の気にふれると、「金」の気はとけて勢いを失ってしまいます。さらに、「火」の気と「水」の気の狭間には悪い「金」の気（＝金毒《ごんどく》）が生じるため、この2つの気が交じり合わないようにすることも重要です。

こういった五行同士の関係を頭に入れつつ、この本を読んでみてください。そして、「やってみたいな」「これならできそう」と思ったことをひとつでもふたつでも、実践してみてください。ただし、「金」の気は無理や我慢が大嫌いなので、自分が嫌なこと、やり

たくないことを無理にやる必要はありません。

本書では、金運に好かれる人になるためにぜひ知っておいてほしい、ベーシックな風水をあますところなくご紹介しています。楽しみながら実践していれば、きっと金運はあなたのもとにやってきてくれるはずです。

1章

金運風水って、どんなもの?

「金運に好かれる人」になりましょう

金運とは、「心豊かに楽しく暮らせる運」のこと

「金運」というのは、ひと言でいえば「豊かさ」。この場合の豊かさは、金銭的な意味だけではなく、暮らしや心のあり方も含めたトータルな豊かさをあらわしています。たとえば、貯金がたくさんあるのに食事はいつもコンビニ弁当で済ませている人、旅行や飲み会に誘われても「お金がもったいないから」と断るような人は、どんなに「お金持ち」であっても、豊かな人＝金運のいい人とは言えません。大事なのは「お金をたくさん持っている」ことではなく、「楽しく使えるお金がたくさんある」ということなのです。

風水では、自分が楽しい、幸せだと感じられることに使ったお金は必ず返ってくると言われています。つまり、楽しくお金を使える人のもとには、使えば使うほどお金が増えていくという金運サイクルが生まれることになります。日々の暮らしを楽しめば楽しむほど、知らず知らずのうちにお金が増えていく、それが「金運のいい人」なのです。

「お金が好き」と言える人は、金運に好かれます

金運は、「自分のことを好きになってくれる人」のところに引き寄せられる性質があります。ですから、金運がほしいなら、まずはお金を好きになりましょう。「お金があると幸せ」「お金があると楽しいな」と素直に思い、それを口に出せる人、またお金に対する感謝の気持ちを忘れない人は、お金からも愛されます。

ちなみに、「お金を好きになる」ことは、「お金に執着する」ということとは違います。お金を得るためにガツガツする人や、お金に関してケチな人、お金のことしか考えない人は、たとえ一瞬だけお金が手に入っても、またすぐに失ってしまいます。

また、よく「大切なのはお金じゃない」「お金がほしくてしたんじゃない」などと言う人がいますが、これは絶対NG。たとえ本心でなくても、お金を軽んじたりさげすんだりするのは、お金に「あっちいけ」と言っているようなものです。くれぐれもこういった言葉をうっかり口に出さないようにしましょう。

「金運」はこんな性格です!

誰かを好きになるためには、相手のことをよく知る必要がありますよね。そこで、まずは金運の性格分析から。お金ともっと仲良くなって、「お金に好かれる自分」を目指しましょう！

おいしいものが
大好き

自分を
嫌っている人には
寄りつかない

まんまるでいつも
にこにこしている

愚痴は
聞くのも
イヤ！

寂しがりやなので、
人（お金）の集まる
ところが好き

「なんとなく楽しそうに
見える」人が好き

「無理をする」
のは大嫌い

まじめすぎる人は
ちょっと苦手…

お調子者なので、
ほめるとどんどん
増えていく

**けっこう単純で、
わかりやすい
性格なんです。**

お金は「使う」ことで増えていきます

「節約する」だけじゃダメ！　「使う」ことで循環させて

金運アップというと、「節約」を思い浮かべる人が多いのですが、実は、お金は節約するだけでは増えていきません。

というのも、お金には本来、「循環」することで増えていく性質があるからです。「節約する」＝お金の流れをストップさせるわけですから、最初はよくても、そればかり続けるとお金を生み出す力そのものを弱めてしまうことになります。

では、お金を循環させるためにはどうすればいいのでしょう。答えは簡単、「使う」ことです。作物は土の中の栄養を吸い上げて芽を出し（＝生じ）、果実を実らせ（＝盛んになり）、やがて自らは枯れて土に返る（＝滅する）ことで土壌を肥やします。もし、作物が枯れることなくいつまでも根を張っていれば、土壌はどんどんやせ細り、やがては果実を実らせる力もなくなってしまいます。お金の循環サイクルもそう。実りを得るためには、貯め込むだけでなく、放出して滅する、つまり使わなくてはなりません。要するに、お金を使うことは、ただの消費ではなく、新たな金運を生み出すための土壌作りなのです。

「ひとり」より「みんなで」がお金を生むコツ

もちろん、ただじゃんじゃんお金を使えばいいというものではありません。もっとも大切なのは、自分が豊かになること、楽しいと感じることにお金を使うこと。

そして、もうひとつのポイントは、「みんなで楽しむ」ということです。風水では、「金」の気は「土」の気から生まれるとされていますが、この「土」の気には「団体」という性質が含まれています。つまり「みんなで楽しむ」ことが、金運の土壌を肥やすコツなのです。

特に、自分の運のベースである家族と楽しみを共有すると、金運のベースがより強固なものになります。たとえば、月に1回はケーキを買ってきて食べるとか、近くの遊園地に出かけるとか、本当にささやかなことでかまいませんので、「みんなで」を意識してお金を使ってみてください。

金運が上がらない……それは金毒《ごんどく》のせいかも

金毒はお金についてくる「ウイルス」

「金毒」とは、ひと言でいうと、お金についてくる悪い「金」の気のこと。ウイルスのように人間にとりついてどんどん増殖し、とりついた人間の金運を食い荒らしていくという恐るべき毒です。

お金と金毒は、いわば裏表の関係。お金を貯めようとすれば、必ず金毒もたまっていきます。しかも、それと気づかないうちに少しずつたまっていくので、油断しているといつの間にか金運がどん底……ということも少なくありません。そこまでひどくなくても、「お金が手に入ってもすぐになくなってしまう」「努力してもなぜかお金が貯まらない」「お金がいくらあっても満足できず、生活に楽しみがない」などと感じている人は、すでに金毒に侵されている可能性が高いと言えます。

「ケチる」「お金にがっつく」「太る」は金毒《ごんどく》のサイン

実際に金毒をため込んでしまった人はどうなるのか、というと、まず、お金に対して強く執着し、お金をケチるようになります。その一方で、「お金なんてほしくない」「大切なのはお金じゃない」などと、お金に対して否定的な考えをもつようになります。これもお金に対するゆがんだ執着心のあらわれ。こうなると当然のことながらお金に嫌われるため、お金が入ってこなくなり、その結果ますますお金に貪欲になる……という悪循環に陥っていきます。

また、太りやすくなるのも金毒のサインのひとつです。生活に大きな変化がないのに急に太ってしまったときは、金毒を疑ってみたほうがいいでしょう。

さらに、金毒は「水」の気を汚すため、放っておくと金運だけでなく、体そのものにも影響が出てきます。特に、女性は内臓の病気、男性はガンなど細胞の病気にかかりやすくなると言われています。そうなってしまってからでは遅いので、とにかく金毒を増殖させない、こまめに浄化してため込まない、という2点を心がけたいものです。

金毒はどんなところに潜んでいる？

金毒が好んで居着くのは、家具の裏やサッシのすき間、椅子の座面の裏側、洗面所のコップの下……といった人目につきにくい場所。金毒には、人目のないところに隠れようとする性質があるためです。

そのうえ、そういった場所は汚れがたまっても「見えない場所だからいいや」と放置されがちなので、金毒にとっては天国と言えます。また、収納の使い勝手が悪く、デッドスペースが多い家、どこに何があるのか把握できていない家なども要注意。金毒の繁殖を防ぎたいなら、収納スペースをきちんと整理し、家具の裏や人目につきにくい場所も定期的に掃除する習慣をつけましょう。

金毒が潜んでいるのは家の中だけとは限りません。人の体の「目につきにくい場所」、たとえば、足の指の間や爪の間、わきの下、耳のうしろなども、金毒にとっては格好の隠れ場所です。ですから、見えない部分のお手入れは、見える部分以上にていねいに。ロングヘアの人は、ときどき髪をアップにしてうなじや耳のうしろを見せるといいでしょう。

「目につきにくい場所」は、まだほかにもあります。ふくらはぎや二の腕、おなかなど、「自信がないからなるべく隠したい」と思う部分が、まさにそれ。「服で隠れるからいいや」と思っているとますます金毒を繁殖させることになりますから、たまには思いきってミニ丈のスカートをはく、ノースリーブのトップスを着て二の腕を出すなど、あえて人目にさらすことも大切です。

さらに、金毒は体の表面だけでなく、内臓や血液などにもたまっていきます。内臓脂肪が多い人、血液がドロドロの人は早めに改善しましょう。

金毒が好む6つのエサ

まずは、自分の環境や生活習慣を振り返ってみましょう。私たちの暮らしの中には、金毒をおびき寄せてしまう要素がたくさんあります。気づかないうちに、「エサ」を振りまいていませんか?

①お金に対する悪口

「お金がほしくてやってるんじゃない」「お金なんていらないわ」などと、お金を否定するような言霊を口に出すと、金毒がどんどん寄ってきます。たとえ本音ではなくてもお金に対する悪口は控えて。

②ねたみ、嫉妬

ねたみや嫉妬は、まさに「火」と「水」の狭間に生まれる悪感情。人をねたんで悪口を言うような人のそばにいると、それだけで金毒がうつることもあります。

③「貧乏」「お金がない」などの口ぐせ

「貧乏」という単語を口に出すと、それだけで金毒が増殖するので要注意。「今月もお金がないわ」「貧乏でイヤになっちゃう」といった「貧乏自慢トーク」もやめましょう。

④キッチンの汚れ、食材の無駄

「火」と「水」の両方があるキッチンは、家の中でもっとも金毒が生じやすい場所。キッチンが汚れていたり、食材を使い切れずに無駄にしていたりすると、金運を損ないます。

⑤水回りのカビ、菌、汚れ

洗面所やバスルームなど、「水」にかかわる場所は清潔第一。特にカビや菌は金毒の大好物なので、排水口などの見えない部分もこまめに除菌&カビ取りを。

⑥「貯金だけが生き甲斐」の人

お金を循環させずにひたすら貯めていると、金毒もどんどんたまっていきます。収入をすべて貯金に回すのではなく、何割かは自分の楽しみごとのために使うようにしましょう。

金毒は「人のためにお金を使う」ことで流して

こまめに浄化することが唯一の防御策

金毒は、日々の生活の中で知らず知らずのうちにたまっていくもの。その上、「お金を得る」ことでもれなくついてきてしまう性質もあるため、先に述べた6つのエサを除去して暮らしていたとしても、完全に防御することはできません。

金毒から身を守る唯一の方法、それが「浄化」です。浄化とは、風水流の悪運リセット術。お風呂で汚れを洗い流すと心も体もスッキリしますよね。浄化もこれと同じようなものです。こまめに浄化する習慣がついている人は、一定量以上の金毒を抱え込まないので、金毒の被害を受けにくくなります。

また、今「金運が悪いな」と感じている人は、金毒を浄化することが金運アップの第一歩。自分の中にたまった金毒がクリアになれば、必ず金運の流れも変わってきます。

金運浄化の方法

家族や友人におごる

「人のためにお金を使う」ことこそ、もっとも効果的な金毒浄化法です。金毒は自己中心的な人を好むため、逆に他人のためにお金を使おうとする人から離れていくのです。

そのさいには、「おごる」という行動そのものに意味があるので、金額は少なくても、十分な効果が得られます。高額なものをプレゼントしたり、レストランでフルコースをごちそうしたりする必要はもちろんありません。一緒にコーヒーを飲んだときに「今日はわたしがごちそうするね」というように、相手が負担に感じない程度の金額をサッと出すのが◎。また、おごることでおごられた相手に金毒が生じることはないので

ご安心を。

スイーツを食べる

ケーキなど、甘いものには金毒を流す作用があります。特にチョコレートや小豆を使ったスイーツは金毒浄化作用が大。カロリーが気になる方は、食事のあとにほんの少しつまむだけでもＯＫです。

桃を食べる

桃は強力な浄化作用のある果物。そのまま食べるのはもちろんのこと、桃のジュースやカクテル、ゼリー、ピーチ味のあめなどでも同じような効果があります。

自分へのごほうびを買う

大変な仕事をがんばって終わらせたとき、ダイエットが成功したときなどはぜひ自分にごほうびを。お金を使うことで、金毒も流れていきます。ジュエリーやアクセサリーを買うほか、マッサージなどを受けるのもおすすめ。

食材をパーフェクトに使い切る

食材はすべて「金」の気をもつものですから、それを無駄にするということは、自分の手で金毒を作り出しているのと同じ。「あると安心だから」「特売だから」と買い込むのではなく、買った食材を１００％使い切る工夫をし、「使い切ってから買う」ようにしたいもの。冷蔵庫や冷凍庫の中も、奥に使わないものが埋もれることのないよう、定期的にチェックしましょう。

寄付をする

「人のためにお金を使う」金毒浄化法のひとつとして、寄付も効果的です。クレジットカードでできるネット募金は「お金を出した」ことを自覚しにくいので、できれば自分の手でお金を募金箱に入れるか、金融機関で振り込んで。たとえばコンビニで買い物をしたら、おつりの小銭を募金箱に寄付するのもおすすめです。財布がスッキリするし、「人の役に立つことにお金を使った！」という満足感も生まれます。

宝くじと金運の関係

「宝くじが当たる＝金運がいい」って思っていませんか？　これ、実は違うんです。宝くじは一種のギャンブルですから、運がいい人には当たりません。むしろ、事故に遭ったときとか、体調がわるいとき、つまり運のわるいときに買うと当たる確率が高くなるんですよ。

また、宝くじには「金毒」と「火毒《かどく》」がもれなくついてくるものなので、特に大金を当てた場合は要注意。働いて得たお金には「自分のもの」という安定感がありますが、宝くじはいわば空中に浮いたお城のようなもの。土台がないので、当せん金額が大きければ大きいほど、人生を地崩れさせる危険も大きくなります。

もし当たったら、必ず何割かを寄付して金毒を流しましょう。さらに、もともと悪い気がついていたお金なので、マイホームや車の購入資金に充てるのは避けて。家族旅行や外食など、形として残らないものに使うことをおすすめします。

2章

しっかり貯めて、増やす風水

「生き金」と「死に金」を見分けよう

金運のいい人とは、「生き金を使い、死に金を使わない人」

金運のいい人と悪い人を分けるポイントは、「生き金」を使っているかどうか、これに尽きます。「生き金」とは、自分にとって有益なこと、自分を豊かにするために使うお金のこと。いわば「お金を生かして循環させる」使い方です。「生き金」であるかどうかは、金額の大小とは全く関係ありません。ですから、たとえ300円で花を一輪買っただけでも、自分が「買ってよかった」と思えるなら、それは「生き金」になります。

「生き金」は循環していくお金ですから、めぐりめぐる間にほかのお金を呼び寄せ、やがて大きなお金になって戻ってきます。つまり、「生き金」を使っている

人のところには、使えば使うほど楽しく使えるお金が集まってくるというわけです。

「なんとなく」「人につられて」使うお金は「死に金」

逆に、自分にとって無駄なことにお金を投じてしまった場合、そのお金は「死に金」になります。「つき合いだから」「なんとなく」というような理由で使ったお金は、すべて「死に金」。また、「買わなければよかった」「もったいない」などと後悔するのも、「金」の気にマイナスを植え付けることになりますから、結果として「死に金」になります。「死に金」は言ってみれば「無駄金」なので、決して戻ってこないばかりか、もともとの金運もすり減らしてしまいます。特に、友だちに義理立てしてほしくもないものを買ったり、飲み会に仕方なく参加したり、というような「つき合い出費」は典型的な「死に金」なので要注意。金運のいい人になりたいなら、人につられてお金を使うのは絶対にやめましょう。収入が限られた会社員の方ならなおのこと、「死に金」をなくして「生き金」を増やすことが、使えるお金を増やすことにつながります。

人からどう思われても、自分が満足できるなら「生き金」

もうひとつ心に留めておいてほしいのは、使ったお金が生き金になるか、それとも死に金になるかを決めるのは、あなた自身だということです。たとえ人から「無駄だ」と思われても、自分自身が満足できる使い方であれば、それは「生き金」になります。「どんなお金の使い方をしたら生き金になるのかわからない」という人は、楽しかったときのお金の使い方を思い出すことで、ヒントが得られるはずですよ。

無理をして買ったものからは、幸せは得られません

「生き金」を使うと金運が増えるというのが風水の法則ですが、それは「ほしいものは何でも買っていい」ということではありません。たとえば、高級ブランドのバッグや靴、ジュエリーなど、自分が今持っているお金では買えないような高価なものってありますよね。それらを手に入れることができたら、確かに豊かな気持ちになれるかもしれません。

でも、豊かさ（＝「金」の気）というのはしっかりした土壌（＝「土」の気）があって初めて成り立つものです。今の自分には買えないものを無理をして手に入れたとしても、それは土壌がないところに巨大なお城を建てるようなもの。無理をして買ったものからは、幸せは得られないのです。

基本は現金払い。カードなら一括払いが「身の丈」ライン

大事なのは、「自分の身の丈に合ったお金の使い方をする」こと。どんなにほしくても、今持っているお金で買えないものは買ってはいけません。クレジットカード払いの場合は、一括払いで買える金額が「身の丈」ラインだと思ってください。それ以上の金額のものがどうしてもほしい場合は、そのお金を貯めてから買うか、お金を生み出す方法を考えて。

「ボーナスが出たら買えるから」とボーナス払いで買うのも、貧乏体質を作るもとになりますから絶対にやめましょう。

「生き金を使う人」になるための5か条

●

- □人の意見に惑わされず、「自分が気に入ったもの」を買う
- □「払うお金に見合うだけの幸せがもらえるかどうか」を考えてから買う
- □「安いから」「なんとなく」などの理由で買わない
- □基本は現金払い。カード払いにするなら一括で払う
- □高価なものはお金を貯めてから買う

寄付や募金で「金」の気を循環させましょう

風水では、「生き金は生き金を呼ぶ」と言われ、自分を豊かにするためにお金を使える人、生きたお金の使い方を知っている人のまわりには、必ずお金が集まってきます。そのお金を自分だけのために使うのではなく、人のためにも使うことを心がけると、「金」の気の循環サイクルがさらに大きくなっていきます。

もちろん、お友だちにプレゼントをしたり、コーヒーをおごったりするのもいいのですが、一番いいのは寄付や募金。自分の母校などゆかりのあるところより、途上国の子どもたちを援助するなど、全く知らない場所や人のために使ったほうが、より大きな豊かさにつながります。

特に「生き金が返ってきた！」と感じたときや、臨時収入があったときはぜひ募金をして。1章でもお話ししたように、寄付や募金には金毒《ごんどく》を流してくれる作用があるので、まめに募金をしている人ほど金毒がたまりにくく、お金が入ってきやすくなりますよ。

お金を増やしたいなら「余らせる」のがコツ

「貯めよう」と思うとお金は増えません

「今持っているお金をもっと増やしたい」というのは、誰もが思うこと。そんなとき、決して「貯めよう」と気合いを入れてはいけません。お金を貯めようと思うと、人はどうしても一生懸命になり、ときにがんばりすぎてしまいます。ところが、お金は楽しいことが大好きな半面、無理や我慢は大嫌い。ですから、そういう「無理をして貯めたお金」には寄りつこうとしません。「貯めよう」という意識が強い人は、「小金持ち」にはなれても、本当の意味で金運のいい人にはなれないのです。

では、どうしたらお金は増えるのでしょう。コツはただひとつ。お金を「余らせる」ことです。「そんなこと言われても、いつもギリギリで、余らせるなんてとても無理……」と思うかもしれません。もちろん、大金を余らせる必要はありません。ここで重要なのは余るお金の額ではなく、「余らせよう」という意識をもつこと。「貯めよう」と思って生活を切りつめるのではなく、「余らせよう」「余るといいな」という意識をもって暮らしている人には「ゆとり」が生まれます。そのゆとりがお金を増やすことにつながるのです。そしてその結果としてわずかでもお金が余ったとき、それを「幸せなこと」として心に留められる人は、必ずお金を増やしていけます。

思いがけない臨時収入があったり、ボーナスが出たりしたときも、「全部貯めておこう」などと考えるのは、お金を増やせない人。臨時収入は、「余ったお金」そのもの。ですから、ラッキーにもそういうお金が手に入ったなら、その何割かは家族でおいしいものを食べる、子どもにちょっとしたものを買ってあげるなど、楽しみごとのために使いましょう。貯金したいなら、楽しく使って余った分を貯蓄に回せばいいのです。「お金が入った！　楽しく使った！　しかも余った！」と感じることがお金を増やすコツです。

土壌を広げれば実りも増えてきます

お金を増やせる人と増やせない人の違いはもうひとつあります。それは、自分自身の運のベース、つまりお金を生み出す土壌の広さ。作物を栽培する場合、土壌が広ければ広いほど、そこから得られる収穫は多くなります。それと同じように、お金もベースが大きければ大きいほどたくさん生まれますし、増えていきやすいのです。

お金を生み出す土壌を広げるために必要なのは、楽しみごとをたくさん知ること。新しいお店に行ってみる、レストランでおいしいものを食べる、旅行に行く……どんなことでもいいのです。たとえ金運と全く関連がないように思えることでも、まずは行動してみましょう。自分自身の土壌をさまざまな方向に広げておけば、いつかその土壌から大きな実りが得られるときがきます。

逆に、楽しみごとを知らない人、自分の狭い土地に閉じこもったままで領土を広げようとしない人は、今だけでなく、この先もずっとお金を生み出せない「貧乏人体質」になってしまいます。「お金がもったいないから」と、行動範囲を狭めている人、買い物やおしゃれに目もくれずに過ごしてきた人は、今からでも遅くはありません。土壌を少しでも広げるために行動しましょう。土壌は年をとってからでも広げていけますが、「土」の気が柔軟な時期、つまり若いうちのほうが土壌が広がりやすいと言われています。特にお子さんがいる場合は、なるべく小さいうちにいろいろな楽しみごとを体験させてあげることが、「金運のいい子」にすることにつながりますよ。

こういう人は「貯まらない」「貯められない」

「不潔」「汚部屋《おべや》」はお金に嫌われる

「ある程度収入があるのに、なぜかお金が貯まらない」という人、いませんか？　こういう「貯められない」体質の人は、まず自分の環境や生活習慣を振り返ってみることをおすすめします。特に、使途不明金が多い、つまり、入ってきたお金が知らない間に消えていってしまう人は、必ずどこかに「貯まらない」要因が潜んでいるはずです。次にあげる項目のうち、ひとつでも思い当たる人は今すぐ改善を。マイナス要因を断ち切れば、必ず風向きが変わり、金運が上向いてきます。

部屋が汚い

汚れた部屋は、いわば金毒のエサ場。特に、悪臭や雑菌（＝悪い「水」の気）、電化製品の裏にたまったほこりやキッチンの油汚れ（＝悪い「火」の気）などは、お金を消滅させてしまいます。冷蔵庫の中に賞味期限切れの食材や調味料を入れっぱなしにしておくのも、お金が貯まらない体質を作ることになります。

水回りや見えない場所にカビが生えている

カビは淀んだ「水」の気の最たるもの。家のどこかにカビが生えていると、そのカビの量に比例してお金がどんどん消えていきます。使った実感がないのにお金がごっそりなくなるという人は、水回りやキッチン、収納スペース、靴箱などがカビくさくないかどうかチェックして。

収納スペースがぐちゃぐちゃ

クローゼットや本棚、押入れといった収納スペースは、「土」に属する場所。ここがきちんと整理されていないと、お金を生み出す力、貯める力が弱まってしまいます。どこに何が入っているのか自分でもわからず、使いたいものがいつも行方不明……という人は要注意。

服装や髪型が不潔、体臭がきつい

フケや垢、体臭、ドロドロの血液などは淀んだ「水」の気、また男性の皮脂のテカリは「火」の気に属しますから、「不潔な人」や「体臭のきつい人」など、女性にモテない男性は金運にも嫌われます。

姿勢が悪い

金運が宿るのは、女性なら胸、男性は背中です。背筋が曲がっているとどちらにも「金」の気が入ってこないため、お金が貯まりにくくなります。

特にパソコンに向かう時間が長い人は猫背になりがちなので、意識して肩を後ろに引き、胸を開くようにしましょう。

「節約好きな人」は貯められない

「節約好きな人は大きなお金を貯められない」というと、意外に思われるかもしれません。「お金を貯めたい、そのためにはまず節約！」という考え方は一見正しいように思えますが、先にも述べたように、お金は「使う」ことで増えていきますから、「節約第一」という人ほど、「貯まらない人」になる可能性が高いのです。

もちろん、節約がすべて悪いわけではありません。たとえば、買い物をするときにより安く買える店を選んだり、お金の無駄遣いを見直したりするのは、現状を切りつめているわけではなく、工夫して無駄をなくすことで楽しく使えるお金を増やそうとしているわけですから、ラッキーな節約と言えます。

問題は、今の生活をより切りつめてお金を浮かそうとする、文字通りの「節約」。特に、食費や自分のゆとりにつながるお金を削るのは、もっとも悪い節約です。よく「節約するなら、食費から」という人がいますが、それは大間違い。食は豊かさの象徴ですから、それを切りつめてお金が貯められるわけがありません。

そもそもお金というのは、生活の中の「ゆとり」の分だけ増えていくもの。節約したいからといってゆとりを切り捨てることは、お金を増やすどころか、逆にお金が増える余地を切り捨てることになります。

お金を貯めたいなら、「切りつめる」、つまり「無理をする」のはかえって逆効果。もし家計が苦しいなら、食費を削るのではなく、同じ金額で今以上においしいものを食べるための努力をしましょう。調理法や素材の使い方、買い物の仕方などを工夫すれば、決してできないことではないはずです。

また、レジャーにお金を使えなくても、年に数回はレストランで外食するなど、ちょっとした「お楽しみ」を意識的に作って。楽しむことから「ゆとり」が生まれ、それが増えていけば、「節約」なんてしなくても自然にお金が貯まる体質になっていきます。

「貯まる財布」の選び方

財布の使い方でその人の金運が決まります

財布は、お金を保管しておくだけではなく、お金を生み出してくれる大切なアイテム。財布の居心地がよければ、お金はどんどん集まってきます。逆に、財布の中が狭くて汚れていると、お金はどんどん出ていってしまいます。お金を増やすのも減らすのも、すべては財布の使い方次第。財布の中のお金とどう接するか、どうつき合うかが、その人の金運を決めるといってもいいでしょう。

財布は3年ごとに買い替えて

まず覚えておいてほしいのは、財布には寿命があるということです。財布がもつお金を生み出すパワーには限りがあり、最長でも3年たつとなくなってしまいます。そうなると何も運を生み出してくれないばかりか、使い続けることで逆に金運が落ちてしまいます。ですから、どんなに気に入っていても3年以上使った財布は早めに買い替えましょう。

買い替えの時期は、秋から冬にかけての季節がベスト。秋は「土」から「金」の気へと移りゆく実りの季節ですし、冬はお金を増やしてくれる「水」の季節だからです。ただし、これは買ってすぐに使い始めた場合。財布は使い始めたときの気を吸うので、どちらかというと買う時期より使い始める時期（↓P56）に気を遣ったほうがいいでしょう。

ワンランク上の財布を選んで、金運もランクアップ

財布選びのコツは、「今の自分よりちょっと上」のものを選ぶこと。財布のランクをひとつ上げることで、それに見合った金運が入ってくるようになります。ただし、財布を買うときに無理をすると、その無理が財布に負担をかけてしまいますから、背伸びのしすぎは禁物です。

もし「この財布がほしいけど、ちょっと高いかな……」と迷ってしまったら、自分が普段入れておけるお金の額はいくらぐらいなのかを考えてみましょう。いつも入っているの

が2万円なら、自分にとっての財布の「適正価格」もそれくらいだと考えて。たとえどんなに気に入った財布でも、その適正価格を大きく超えるもの、またカード払いやボーナス払いにしなくては買えないようなものは、自分に豊かさを運んでくれる財布ではないと思ってあきらめるほうがラッキーです。

また、値段だけでなく、自分が気に入っているかどうかも財布の金運を大きく左右します。気に入った財布には、文字通り「気が入る」わけですから、当然金運を生み出す力も強くなります。持っていて楽しい、あるいはその財布を使うと豊かな気持ちになれる……そんな財布を選びましょう。

財布を買うときはステータスも一緒に買って

財布は「金」の気をつかさどるアイテム。「金」の気にはステータスという性質も含まれるので、財布を買うときは「ステータスも一緒に買う」つもりで選びたいものです。デパートや雑貨店で買ってもいいですし、ネットショップでもかまいませんが、ディスカウントショップなど「安売りを期待して行く場所」で買うのはやめましょう。

なぜなら、ディスカウントショップ自体は決して悪い場所ではないのですが、財布を買うときに安さを優先させてしまうと、財布自体に安っぽい気がしみついてしまうからです。同じ理由で、バーゲンで値引きされた財布を買うのもあまりおすすめできません。「ほしかったものが偶然安くなっていた」というのであればかまいませんが、「安いから」というだけの理由で安売りの財布を買うと、自分の金運も下がってしまいますから気をつけましょう。

パステルイエロー、ベージュ、ブラウンが◎。ピンクは「棚ぼた財布」

財布におすすめの色は、女性が持つか男性が持つかで若干違ってきます。女性向きの色は、パステルイエロー、ベージュ、ブラウン、ピンク。なかでもパステルイエローはお金を増やしてくれる金運カラーです。

同じ黄色でも真っ黄色の財布やゴールドの財布は、お金を呼び込んでくれる半面、放出する気も強く、浪費ぐせのある人が使うと浪費に拍車がかかってしまうので、金遣いが荒い人、ギャンブルが好きな人は避けたほうが無難。「ゴールドカラーが好きだけれど、つい浪費してしまいそうで心配」という人は、ブロンズがかったゴールドを選ぶといいでしょう。

ベージュやブラウンなど「土」の気をもつ色には「貯める」力があるので、「貯めて増やしたい」人に向いています。また、パステルピンクやサーモンピンクの財布は、バリバリ稼ぐというよりは人から与えられる運気が強い「棚ぼた財布」です。

なお、女性の場合、財布の色がいつも同じだと金運の流れが滞ってしまいます。財布を買い替えるときは、色も替えるようにすると気分が変わりますし、お金も循環しやすくなりますよ。

男性は「土」のカラーで「火」を抑えて

男性の場合は、存在自体が「火」の気なので、財布はベージュ、ブラウン、黄土色など「土」の気をもつ色で「火」の気を抑えましょう。黒は現在の運を固定してしまうので、今より上を目指したい人には不向き。自分の金運に満足している人、今の金運を維持したい人にはおすすめです。白い財布はお金を生み出すとともに、金毒を浄化する作用がありますが、汚れたり古くなったりすると逆にお金が出ていきやすくなってしまいます。白を選ぶならきれいに使うように心がけ、汚れたら早めに買い替えるようにしましょう。

ちなみに、男女ともに避けたほうがいいのは、赤と青。特に赤い財布は、究極の貧乏財布。「火」の気が強く、今持っているお金も生まれもった財運もすべて燃やし尽くしてしまいます。一方、青は「水」の気が強く、金運を流してしまいます。

出し入れしやすい長財布がベスト。折財布なら小銭をためないこと

お金の出し入れがスムーズでないと、お金を生み出す力が弱ってしまいます。その点から言えば、お札を折って入れる折財布より長財布のほうがいいでしょう。もし折財布を使うなら、小銭やカードをため込まず、お札をスムーズに出せるようにしておきましょう。

ちなみに、私は長財布を愛用していますが、小さいバッグ用の折財布も持っていて、そのときどきで使い分けています。旅行やパーティーのときだけコンパクトな財布に替えるのもひとつの手。金運に変化がつき、お金が増えやすくなりますよ。

素材は革、もしくは布で高級感のあるものを

財布の素材といえば、革。牛革には貯める力、豚革には循環を促す力、オストリッチ革には、増やして貯める力があります。ヘビ革には楽しく使うお金を増やしてくれる作用があり、どちらかというと自営でお金を稼いでいる人に向いています。

布製の財布は、人との交際で楽しくお金を使えるようにしてくれる効果があります。ただし、チープなものだとつき合いでお金を浪費しやすくなるので、本革とのコンビになっているものなど高級感のあるデザインを選びましょう。

また、パール加工されたものやエナメル素材、ラインストーンつきなど、「光」を取り入れた財布もお金を呼び寄せてくれます。ただし、これは女性限定。男性の場合は「光」より「変化」が金運アップのポイントになるので、外側と内側の色が違うものや、使い込むうちに色が変わっていくヌメ革の財布などがいいでしょう。チェック柄の財布や、パイピングのあるもの、ステッチが施されているものは、男女問わずお金を貯めてくれる作用があるのでおすすめです。

小銭入れとのダブル使いでさらに金運アップ

財布に小銭がたくさん入っていると、お札の出し入れがしにくいだけでなく、財布に負担がかかって大きなお金が入ってこなくなるので、できれば別に小銭入れを持ちたいもの。お札と小銭を分けると、小銭自体も増えやすくなりますよ。

小銭入れは財布とおそろいのデザインにすると、メインの財布と連動してお金を増やしてくれますし、遊び心のあるものを選べば、楽しく使えるお金を生み出してくれます。

おすすめは花やクマ、ハート、ケーキ、甘いフルーツ、バレエシューズなど。ネコやチェリー、蝶、タワーなど「火」の気をもつモチーフは金運を燃やしてしまうので避けましょう。

自分の財布を「金運財布」にする使い方

財布の使い始めは「水」の季節か、曇りや雨の日に

財布には使い始めた時期の気を吸う性質があるので、「いつ買うか」より、「いつ使い始めるか」が重要です。もっともお金が増えやすいのは、「水」の気が強まる12～2月、または梅雨の時期。それ以外の季節であれば、かんかん照りの日は避け、曇りや雨の日に使い始めます。なかなか雨が降らない場合は、夜（＝「水」の時間帯）にお金を入れ、翌日から使い始めて。「火」の気が強い真夏はできれば避けたいところですが、どうしてもという場合は、夕立や雷雨のあとなど、天気が急変したときに使い始めましょう。

金運財布にする決め手は「初期設定」

どんなに金運に効く色、形の財布を手に入れても、それだけで金運が上がるわけではあ

りません。財布を金運財布にするためには、「初期設定」が必要なのです。

初期設定の期間は、お金を入れて使い始めた日から9日間。この期間内は、通常より多めにお金を入れておき、出し入れも控えめにします。レシートやショップカードなど、お金以外のものもできるだけ入れないようにしましょう。使い始めにこの設定をしておくと、財布が金額とお金の出し入れの頻度を覚え、その後も同じようにお金が入ってくる財布になります。

なお、通常より多めといっても大金を入れる必要はありません。目安は、いつも入れている金額の倍程度。もう少し余裕があれば3倍の金額を入れてもかまいませんが、それ以上は多すぎます。以前、「定期預金をおろして100万円入れました」という人がいましたが、自分のベースとはかけ離れた額のお金を入れても効果はありませんし、かえって財布に負荷をかけることになりますからやめたほうがいいでしょう。

また、お金の出し入れを控えめにするといっても、全く使わないのでは「使い始めた」ことになりませんから気をつけて。要は大きなお金を財布から出さなければよいのです。金額が大きいときは、カード払いにするのがおすすめです。

財布に余計なものを入れると金運ダウン

財布はお金を入れておく場所ですから、それ以外のものはなるべく入れないようにしましょう。入れておいてもいいのは、身分証や保険証、免許証、キャッシュカード、よく使うクレジットカードのみ。キャッシュカードやクレジットカードなどのお金に関するカードは、合計枚数が4、6、8、12枚のいずれかになるようにしましょう。0枚でもかまいませんが、13枚以上では枚数オーバーです。キャッシュバックタイプのポイントカード、図書カードなどのプリペイドカードもこれに含まれます。

気をつけたいのが、キャッシング専用のカード。キャッシング＝借金というマイナスの気を背負ったカードが1枚でも財布に入っていると、そこからマイナスの気が広がってしまいます。キャッシング用のカードはなるべく持たず、どうしても必要なら財布にではなくカードケースに入れてください。

交通機関のＩＣカードやスポーツクラブの会員証などは「動」の気をもつアイテム。これらはお金を散らしてしまうので財布には入れず、パスケースかカードケースに入れましょう。ショップのスタンプカードや診察券などもカードケースに。

レシートや領収書は、一時的に入れるだけならかまいませんが、入れっぱなしは金運を落とします。毎日整理するか、それが無理ならレシート専用のポーチを持ち歩き、そこに入れるようにしましょう。

また、ときどき宝くじを財布に入れている人がいますが、これは金運を上げるどころかかえって浪費しやすい体質になるのでやめましょう。大切なもの、たとえば神社のお守りや子どもの写真なども財布に入れてはいけません。特に子どもやペットの写真をお金と一緒に入れてしまうと、家族内に病気やトラブルを招きかねないので気をつけて。

このひと手間でもっと増える！　お財布風水7つの裏ワザ

①自分よりお金持ちの人に買ってもらう

金運は伝染力があるので、自分よりお金持ちの人に財布を買ってもらうと、その人の金運が財布にうつります。お金を渡して買ってきてもらうだけでもＯＫ。それも難しければ、使い始める前にさわってもらうだけでも金運を分けてもらえます。

②財布を買うときは白を身につける

財布を買うとき、インナーやトップスなど、どこかに「白」を身につけると、お金をたくさんもたらしてくれる財布になります。ネットショッピングなら注文するときに身につけていればＯＫです。

③お金持ちの人からもらった「種銭《たねぜに》」を入れておく

手持ちのお札を自分よりお金持ちの人と交換し、それを「種銭」として財布に入れておくと、お金が増えやすくなります。ただし、うっかり使ってしまわないように気をつけて。

④純金のかけらを財布に入れる

純金はお金を呼び寄せてくれます。私は大きめの金貨を入れていますが、小さいものでも効果は同じ。ただし、24金に限ります。18金や22金では意味がありません。ビニール袋などに入れてしまうと効果がないので、そのままか、和紙やシルクにくるみ、カード入れなどお金に直接ふれない場所に入れてください。

⑤きれいな音色の鈴を財布につける

金運はきれいな音のするものに寄ってくる性質があるので、財布や小銭入れに鈴をつけておくのもおすすめです。ただし、音色が騒がしいもの、財布のステータスを落とすようなデザインのものは避けて。

⑥月に1回、中身を空にしてリセットする

お金についてくる金毒を浄化するため、月に1回は中身を全部出してリセットしましょう。表面や内側の汚れはかたく絞った布でふいて浄めます。小銭入れに入っている硬貨も全部出し、中身が多すぎるようなら小銭貯金（↓P71）に。それほどの量でなければ、水洗いして乾かしてから入れ直すと、増えやすくなります。

⑦クレジットカードのグレードを上げる

グレードの高いカードが1枚でも財布に入っていると、金運のグレードもそれに応じて上がっていきます。使っていないカードを何枚も持つくらいなら、枚数を減らしてその分カードのグレードを上げたほうが金運アップには効果的です。

財布は暗い場所で休ませて

「キッチン」「日の当たる場所」「バッグの中」には絶対に置かないで

皆さんは、財布を普段どこに置いていますか？　いつも持ち歩くバッグの中に入れっぱなしにしている人も多いかもしれません。でも、実はこれこそ金運ダウンのもとなのです。

「動」の気をもつバッグに財布を入れておくと、せっかく入ってきたお金がすぐに出ていってしまいます。「出かけるときに忘れないように」と玄関に置いている人もいますが、これもお金に対して「外に出て行ってください」と言っているようなもの。絶対にやめましょう。

そのほか、置いてはいけないのは、キッチンや日当たりのよい窓辺、電化製品のそば、照明器具の真下など、「火」の気の強い場所。強い「火」の気にさらされると「金」の気が

消耗し、浪費しやすくなります。また、リビングテーブルの上など、人目にふれる場所に置くのも「火」の気を受けることになるのでよくありません。

ちなみに、外国のコインや古銭などを人目につく場所に飾るのも、金運を消耗させてしまうのでやめたほうがいいでしょう。

寝室の北側に専用スペースを

財布の置き場所として一番いいのは、寝室の北側の暗いところ。お金は暗がりで増える性質があるので、チェストの上などに出しっぱなしにせず、引き出しや箱などに入れましょう。その場所にちょうどクローゼットやチェストがあれば、そこに入れてもかまいません。ほかのものと一緒くたに入れるのはよくないので、財布専用の引き出しを作るか、ふたつきの箱などに入れてから収納しましょう。

なお、銀行の通帳やキャッシュカードなどお金に関するものであれば、一緒にしておいても問題ありません。水晶などの天然石や、吉方位の神社でいただいた砂などを一緒に入れておくとさらに金運がアップします。

休ませながら使うとパワーが長持ちします

財布は人間と同じで、使えば使った分だけエネルギーを消耗します。休ませることは、消耗した気を補い、長持ちさせるためでもあるのです。気に入った財布をなるべく長く使いたい……という場合は、もうひとつ財布を買い、２つを交互に使っていくのもおすすめです。片方を使っている間、もう片方を休ませることができるので、通常より長く使い続けることができます。休眠期間の目安は、使った期間と同じかそれよりちょっと長め。１年使ったら1年休ませる……というサイクルです。

ただし、どんなに休ませながら使っても、使用期間が3年を超えるとどうしてもパワーが落ちてきます。「金運が落ちてきたな」と感じたら、買い替えたほうがいいでしょう。

運を上げる財布の捨て方

財布の盗難や置き忘れは「そろそろ買い替え」のサイン

金運を上げたいなら、高級な財布をすりきれるまで使うより、安い財布をこまめに買い替えて使ったほうが効果的です。「もったいない」と思わずに、寿命が切れた財布は早めに買い替えましょう。

財布の寿命はだいたい3年とお話ししましたが、いつも小銭やカードでパンパンだったり、人目にふれる場所に出しっぱなしだったりすると、財布に負荷がかかるため、通常より消耗しやすくなります。なんとなく汚れが目立つようになったり、気をつけていてもレシートやショップカードで中がごちゃついてしまったり、という場合は、財布のパワーが弱っている証拠。カードが盗まれる、財布をどこかに置き忘れるなどのトラブルもパワー切れの兆候です。こういうときはしばらく使わずに暗い場所で休ませるか、買ってからある程度の年数がたっているなら、そろそろ買い替えたほうがいいかもしれません。

また、落としたり、飲み物などをこぼしてシミがついてしまった財布も運気を下げます。たとえあまり使っていなくても買い替えたほうがいいでしょう。

古い財布は紙に包んで捨てて

古くなった財布は普通にゴミとして捨ててかまいません。むき出しではなく、和紙や白い紙に包み、ひと目で財布とわからないようにして捨てましょう。

北、東北、西など、金運によい方位に旅行に出かけたときに、ホテルや旅館のゴミ箱に捨ててくるのも金運アップに効果的です。その場合もきちんと紙に包み、ほかの人に見られないように捨てましょう。

ちなみに、お金は「水」の気にふれて増える性質があるので、雨の日に捨てると新しい財布にお金が入りやすくなります。きれいな川や湖のほとりにあるゴミ箱に捨ててもいいでしょう。ただし、その土地のマナーをきちんと守って捨てること。財布を川や湖にそのまま投げ入れたり、よその土地に埋めたりするのは、金運を上げるどころかすべての運を落とすことにつながりますから、絶対にやめましょう。

お金が貯まる貯蓄口座の作り方

貯蓄口座と生活費の口座は別々に

貯蓄用の口座と生活費の口座は、別々にしておくほうがラッキーです。生活費の口座は、日々の生活費を入れておく場所ですから、当然しょっちゅう出し入れがありますし、公共料金やクレジットカードの代金引き落としなどで「減る」動きが多いため、お金が増えにくいのです。

本気でお金を増やしたいなら、生活費の口座とは別に「引き出さずに入金するだけ」の口座を作り、定期的に入金していきましょう。生活費の口座から、毎月一定の金額を引き落として貯めていくのもいいですし、「生活費口座の残高が○○円になったら、一定額を貯蓄口座に移す」というやり方でもいいでしょう。どれくらいの額を貯金に回すかは自分で決めてかまいませんが、生活費の残高があまりギリギリだと、かえって豊かさを圧迫して増えにくくなるので、ある程度ゆとりをもたせておくようにしましょう。

また、「マイホーム用」「子どもの学費用」など、目的別に口座を分けている人もいますが、あまり小分けにしすぎてひとつの口座に入るお金が少なくなると、かえってお金が増えにくくなります。貯蓄の目的はいくつあってもかまいませんが、口座はひとつにまとめたほうが大きなお金が貯まりやすいですよ。

入金したときに記帳する習慣を

通帳の扱いで気をつけたほうがいいのは、記帳のタイミング。出し入れの多い口座の場合は、必ず入金したあとに記帳します。通帳の上で、いつも「増えている」状態にしておくことで、その口座自体に「増える」気を植えつけるのです。ちなみに、入金するのは偶数の日、お金を引き出すのは奇数の日にすると、お金がより貯まりやすくなりますよ。

貯蓄用の口座は、「ほったらかしたままましばらく忘れてたから、たまには記帳しようか」というくらいがベスト。お金は放っておく時間があったほうが貯まるので、お金を増やしたかったら、むしろ放任ぎみのほうがいいのです。残高を気にしてしょっちゅう記帳すると、かえって増えにくくなります。

ちなみに、通帳をしまうときはそのままでもかまいませんが、より金運をアップさせたいなら、シルクかコットンの布に包んでおきましょう。布の色は白、パステルイエロー、ピンク、薄いふじ色のいずれかがおすすめ。なお、印鑑と通帳を一緒にしまっておくのは、金運アップには何の効果もないばかりか、防犯上非常に危険なことなので、避けてくださいね。

金運の悪い通帳は縦にハサミを入れてリセット

満期になって引き出してしまったあとの通帳や、満杯になって更新した通帳など、いらない通帳をそのままにしていませんか？　必要ないものは、さっさと処分しましょう。捨てるときには細かく切るかシュレッダーにかけてから可燃ゴミとして捨てて。

また、「なぜかこの口座にはお金が貯まらない」という口座や、口座はあるものの残高がほとんどない「幽霊口座」はこの機会に解約し、通帳も処分して。金運の悪い口座の通帳を捨てる場合は、解約したあとで通帳の最後のページに縦にハサミを入れ、悪い金運をリセットしてからシュレッダーにかけましょう。

「小銭貯金」「つもり貯金」「贅沢貯金」で貯蓄運を鍛える

貯蓄体質づくりには「小銭貯金」

大きなお金がなかなか貯まらない人、お金にゆとりがなく、「貯蓄なんて考えられない」という人は、まず小銭貯金で「貯める体質作り」から始めましょう。この貯金は、財布がいつも小銭でパンパンの人にもおすすめです。コツは白いお金（1円、100円、500円）だけ、または黒いお金（10円）だけ貯めること。もちろん、貯金箱を2個用意して、それぞれに貯めていってもかまいません。マグカップやシュガーポットを貯金箱代わりに使ってもいいでしょう。

小銭貯金はあくまでも「貯める体質作り」が目的なので、無理は禁物。一度にたくさん貯金するのではなく、ときどき財布をのぞいて、小銭が貯まっていたら貯金箱に入れる、というくらいの気持ちで始めてみてください。

また、小銭貯金で大金を貯めようとよくばってはいけません。「いくら貯まったか」を気にするとかえって増えにくくなりますから、あまり頻繁に中身をチェックするのは控えましょう。

貯金箱に入れたお金はなくなったものと割り切って考えたほうがいいでしょう。ある程度貯まったら、ケーキを買って家族で食べたり、動物園や遊園地に行ったりというような「ちょっとした楽しみごと」に使いましょう。家族の楽しみごとにお金を使うことで、お金がより増えやすくなります。

理想の家計に近づきたいときは「つもり貯金」

家計簿を見直して「コーヒー代が多いな」「コンビニで買うおやつ代を減らしたいな」などと感じたら、「つもり貯金」をしてみましょう。

たとえば、週に3回コンビニでおやつを買っているなら、それを2回に減らし、浮いたお金を「使ったつもり」で貯金箱に入れます。食べ物の「つもり貯金」は、食べたつもりになることで、その食べ物から得られるはずの気をそのまま手に入れることができるのでいいのですが、一生懸命になりすぎるとかえって自分の豊かさを削ることになるので気をつけて。貯金をするのは1週間に1回程度に、また1回の貯金額が1000円を超えないようにしましょう。

贅沢するたびに貯金が増える「贅沢貯金」

エステや海外旅行に行ったり、上質な靴やバッグを買ったり……そういったちょっとした贅沢をしたときは、その代金の2〜3割程度の金額を貯金してみましょう。2〜3割が難しければ1割でもかまいません。

この「贅沢貯金」を習慣にすると、贅沢をすればするほどお金が貯まっていき、しかも「こんなもの買っちゃって大丈夫かな」「贅沢しすぎかしら?」などと後ろめたく思うこともなくなります。

家計簿は豊かさを増やすツール

家計簿は楽しくつけるのがコツ

「そんなに無駄遣いしていないはずなのに、気づいたら財布にお金がない」……そういう人には、アバウトでいいので家計簿をつけることをおすすめします。家計簿をつけるとお金に意識が向くので、「知らないうちに出ていくお金」を減らすことができますし、お金の出入り、つまり循環のサイクルを「知る」ことは、その循環の輪を「大きくする」ことにもつながっていくからです。

ポイントは、「楽しくつける」こと。「毎日つけなくちゃ」「収支を合わせなくちゃ」などという思いは捨てましょう。毎日つけるのが面倒なら、週1回でもいいですし、忙しくてつけられないときは、給料日や銀行からお金をおろした日に、財布に入っている金額を記録しておくだけでもかまいません。収支だって合わせなくてもいいのです。ただし、出費がかさみがちな人は、定期的につけるだけでなく、ときどき見直して、「これは無駄だったかも……」と思えるものにチェックを入れておきましょう。意識するだけでお金の使い方が少しずつ変わっていくはずです。

生活費と「楽しみごと」は別項目に

家計簿の費目は、「食費」「雑費」「子ども」……というように大ざっぱに分けたほうが全体を把握しやすく、つけるのもラク。さらに、もし面倒でなければ「生活費」と「楽しみごと」を分けて書いてみましょう。日々の生活に必要な食材や日用雑貨は「食費」「雑費」に。それ以外の出費、たとえば「家族で外食」「ケーキを買って食べた」といった出費は「楽しみごと」の欄に。こうすることで豊かさが増えやすくなります。

また、金運アップのコツは「お金を余らせる」ことなので、家計簿のメモ欄に「自由に使えるお金（＝余っているお金）」の金額をメモしておくのもおすすめです。「こんなに余ってる！」と意識することがお金を増やすことにつながりますよ。メモ欄を日記代わりに使うのもいいですね。ただし、その場合は「楽しかったこと」「おいしかったもの」など、いいことだけを書くようにしましょう。

金運column

パートで金運アップ

パートタイムで働くときに大事なのは、仕事に対する感謝の気持ちと責任感。「どうせパートだし」というようないい加減な気持ちで働いている人は、豊かさを生み出すことはできません。給与額が多くても少なくても、「お金をいただいているんだ」という事実を忘れずにいてくださいね。

また、主婦の方にとってはパートのお給料は、いわば「プラスアルファのお金」ですから、生活費を補填するために働いているのだとしても、お給料をもらったら、その中の一部を自分や家族の楽しみごとのために使いましょう。給料日には手巻き寿司、なんていう習慣をつくるのもいいですね。

なお、パートにもいろいろな仕事がありますが、主婦の方が水商売をするのはなるべく避けて。これは水商売が悪いわけではなく、家庭内の「水」の気が過剰になると、家庭不和につながるためです。人を強引に勧誘するような仕事も運を下げるのでやめましょう。

3章 ふだんの生活でお金がどんどん集まる風水

笑顔と口ぐせで金運アップ

日々の生活習慣が「金運体質」を作ります

世の中には、同じような立場にいるのに、お金が自然に集まってくる人とそうでない人がいます。この違いはどこから生まれてくるのでしょう。

お金が自然に集まる人は、「金運体質」、つまりお金に好かれる体質の持ち主です。金運体質は、生まれもった性質ではなく、日々の生活習慣や物事に対する考え方、口ぐせなど、日常生活の中で形作られていくもの。逆にいえば、どんな人でも金運に好まれる生活習慣を身につけさえすれば、「金運体質」になることができるのです。

笑顔が金運を引き寄せる

金運体質になるために、今すぐにできることがあります。それは「笑う」こと。金運は、楽しんでいる人、ニコニコしている人が大好きですから、とにかくスマイル！　たくさん笑えば笑うほど、あなたのまわりに「金」の気が集まってきます。

逆に、むっつりしている人、人が楽しんでいることに対して冷ややかな人、いつも眉間にしわを寄せている人は、金運に嫌われ、豊かさからどんどん遠ざかっていきます。「今日は1回も笑えることがなかった」という日には、お笑い番組やコメディー映画を見て笑うだけでもいいのです。また、そういう人は朝起きたときと夜寝る前の1日2回、鏡に向かって、笑顔を作ってみてください。形だけでも笑顔を作ることで「楽しみごと」の運気が豊かになり、少しずつ心が明るくなってくるはずです。

金運に好かれる人の「幸せな口ぐせ」

また、何気なく口に出している言葉も、金運に大きな影響を与えます。金運を呼ぶのは、「ラッキー」「おいしい」「幸せ」というような、自分や周囲が幸せになるような言葉。こういう言葉は、あえて口に出さないことが多いかもしれませんが、感じたときに「口に出す」習慣をつけると豊かさが増えていきます。

逆に、不平不満や愚痴、悪口などはなるべく口に出さないこと。特に、「お金がない」「貧乏」などといったお金に対するマイナスの言葉が金運をダウンさせることは先に述べましたが、人をねたんだり嫉妬したりする言葉も、言うのも聞くのも避けたいものです。「もっと一生懸命やろう」「がんばらなくちゃ」といった言葉も、一見前向きではありますが、自分に負荷をかけることになるのであまり言わないほうがいいでしょう。

もし、人の愚痴や悪口を聞いてしまったら、コンビニなどで水を買い、もらったおつりを募金すると、「水」と「金」のパワーで悪い気が流れていきます。

また、自分でネガティブな言葉をつぶやいてしまったときは、「今のはナシ！　貧乏じゃない」とすぐに言い直してリセットしましょう。

金運を呼ぶ口ぐせ

- □おいしい
- □楽しい
- □ありがとう
- □私、お金に好かれてるの
- □きれい
- □ラッキー
- □運がいいよね
- □ハッピー
- □幸せ
- □私って恵まれてるわ！

金運を豊かにする12か月の過ごし方

風水では、春は「木」の季節、夏は「火」の季節というように、季節にも五行があると考えます。金運の流れもその季節によって変わってきますから、それぞれの季節に合ったライフスタイルを心がけると、より効果的に金運を取り込んでいくことができます。

春（3〜5月）〜「木」の季節〜

春は、金運の土壌を作る時期。この時期に香りを吸収して「木」の気を鍛えておくと、お金を生み出しやすくなります。ミントやヒノキなど浄化系のお香をたき、空間を浄化しましょう。チューリップやフリージアなど、春の花を部屋に飾るのも金運アップに効果があります。

ひな祭りには女性同士で集まって甘いものを食べて。金毒《ごんどく》を浄化してくれる桃の花を飾ったり、桃のジュースやカクテルなどを飲んだりするのもいいでしょう。

この季節に取り入れたいモチーフはドット柄。クッションカバーやポーチなど、普段使いのアイテムにドット柄を使うとお金が増えやすくなります。

また、春といえばお花見。桜の季節にはぜひお花見に出かけましょう。桜の木の下にアウトドア用のテーブルをセットしてピクニックを楽しむのもおすすめです。使い捨ての器ではなく、きちんとしたグラスやカップを使うなど、器にこだわるのが金運アップのコツです。

梅雨（6月）〜「水」の季節〜

夏に向けて、「金」の気を増やしておかなければいけない時期。雨が続いて憂鬱なときですが、「金」の気は、よい「水」をたっぷり取り込むことで増えていくので、雨だからこその楽しみを見つけましょう。「雨が降ったらＤＶＤを借りて観る」など、自分だけの「雨の日ルール」を作ると、雨が待ち遠しくなります。

お気に入りの傘やレインブーツを用意して、雨の日にあえて散歩に出かけてみるのもいいでしょう。パールを身につけるとさらに効果的。家で過ごすなら、茶葉にこだわって紅茶をいれ、ゆっくりティータイムを。髪をトリートメントする、パックをするなど、自分ケアに力を入れるとさらに金運が増えやすくなります。

雨が続くと金毒が増殖するので、浴室や洗面所など、水回りのカビには注意しましょう。除湿機や浴室乾燥機なども活用して。どうしてもじめじめしてしまう場合は、柑橘系の香りをいつもより少し強めに香らせて金毒を追い出しましょう。タオル類はこまめに洗い、乾燥機などを利用してふんわりさせて。ふわふわした感触に包まれることで、「金」の気が増えやすくなります。

また、梅雨は財布を買うのにもいい時期。「水」の季節に買った財布はお金が増えやすい「金運財布」になると言われています。

夏（7～8月）～「火」の季節～

夏は「火」の気に満ちているため、金運を消耗しやすい要注意シーズンです。特に紫外線は金運に大きなダメージを与えますから、外出するときは日焼け止めを忘れずに。窓から入ってくる紫外線の量もばかにならないので、窓ガラスに紫外線防止のスプレーを吹きつけておくとベストです。

運気アップのポイントは、「土」の気をたっぷり取り入れること。「土」の気を鍛えれば、金運の消耗を最小限に防ぐことができます。「和」や「エスニック」など郷土を感じさせるものには「土」の気があるので、風鈴を飾ったり浴衣を着たりして、「日本の夏」を意識して過ごすと効果的。ビールグラスやデザート用のカップなどのガラス器をざっくりした土ものの陶器に替えてみるのもいいですよ。

また、夜は失った気を取り戻す大切な時間なので、エアコンや扇風機を効果的に使い、心地よく眠れるようにしましょう。特に頭が熱いと金運が失われていくので、「火」の気をもつ南枕は避け、冷感素材の枕カバーなどを使って、なるべく「涼しく寝る」工夫を。

残暑（9月）～「土」の季節～

「夏気分」が抜けない時期ですが、意識を少しずつ秋に向けていきましょう。ストールやバッグなどのファッション小物で秋色を取り入れるのもいいですし、それが難しいようなら箸置きを陶製のものにしたり、ティーマットや鍋つかみをあたたかみのある色合いにするなど、キッチングッズを秋らしくしてみましょう。インテリアの模様替えをしたり、収納スペースをととのえるのも、「貯め力」を高めることにつながります。

サンマや栗など、秋を感じさせる「初もの」も9月の楽しみのひとつ。初ものを食べるときには笑顔を心がけると、さらに運気がアップします。

また、9月は「歩く」ことが開運行動になります。ウォーキングや散歩でたくさん歩けば歩くほど、「金」の気をため込む袋が大きくなっていきます。最寄り駅のひと駅手前で降りて歩くなど、気軽にウォーキングを。

秋（10〜11月）〜「金」の季節〜

秋は実りの季節。食を充実させることが運気アップにつながるので、おいしいものをたくさん食べましょう。おすすめは、じっくりと火を通した煮込み料理や赤ワインに合う料理。お金が増えやすい体質を作ってくれます。

開運行動はお月見。秋に月を見ると、豊かさが増えると言われています。紅葉も実りの象徴ですから、天気のよい週末は紅葉を見に出かけるのもいいでしょう。また、きれいな夕日を眺めるのも金運アップにつながります。

掃除は「金」の気をつかさどるキッチン回りを中心に。特に鍋の焦げ付きやレンジの油汚れは金運を焦げ付かせてしまいますから注意しましょう。電子レンジの中や魚焼きロースターの中も忘れずに掃除しておきましょう。

また、冷蔵庫の中がごちゃついていると食材の無駄買いにつながります。気候のいいときなので、思いきって冷蔵庫の中身を全部出し、整理してみましょう。賞味期限切れの食材や古い調味料などは潔く処分して。乾物なども古くなる前に食べきるようにしましょう。

冬（12～2月）～「水」の季節～

「水」の季節は、甘いもの（＝「金」の気）を積極的にとって豊かさを増やしましょう。給料日など、お金が豊かになった日や、自分にとっていいことがあった日にはケーキやチョコレートなど、甘いものを少し食べる習慣をつけて。

「水」の気はお金を増やしてくれる作用があるので、財布や小銭入れをこの機会に買い替えるのもいいでしょう。財布や小銭入れの中身を出してリセットするのもおすすめ。小銭入れに入っていた硬貨を水洗いして入れ直すと、さらにお金が増えやすくなります。

この時期の開運キーワードは「優しさ」。優しい言葉を口に出したり、そういう気持ちになれるような映画や本を積極的に見たり読んだりしましょう。家族に対する感謝の気持ちを言葉で伝えることも金運アップにつながります。

日に日に寒さが厳しくなり、体が冷えやすい時期でもあります。冷えは土壌を冷やし、お金を生み出しにくくします。特におなかの冷えは金運ダウンに直結するので、腹巻きをしたりショウガ入り紅茶を飲んだりしておなかを重点的に温めましょう。

金運に愛されるボディケア

ボディケアは「水」のパーツを重点的に

金運に愛されるのは、髪、肌、そして瞳のきれいな人。これらのパーツをみずみずしく、きれいに保つことで、お金が増えやすくなります。

髪は、毛髪だけでなく地肌もきちんとケアしましょう。特に皮脂の詰まりは金運の循環も詰まらせてしまうので気をつけて。定期的にヘッドマッサージやヘッドスパで頭皮の皮脂を取り除くようにするといいでしょう。頭皮や耳の後ろなど、見えない場所には金毒がたまりやすいので、金毒浄化のためにもヘッドマッサージはおすすめです。

ちなみに、男性の髪は「火」に属しているため、ケアを怠ると「火毒」がたまって金運を燃やしてしまいます。ですから、男性も女性と同じく、ヘッドスパでこまめに火毒を流すようにしましょう。

肌は甘い香りのボディクリームで保湿を

肌はとにかく「保湿」がカギです。ドライスキンやオイリースキンの人はお金を増やすことができないので、洗顔後は化粧水、乳液などでしっかり保湿してみずみずしさを保ちましょう。お風呂上がりに、「金」のパーツである胸とデコルテ回りにボディクリームを塗るのも金運アップにつながります。ボディクリームは、ローズ、ピーチ、はちみつ、バニラなど甘い香りのものがおすすめです。ひじ、ひざ、かかとなど、かたくなりがちな体の「継ぎ目」の部分もクリームを塗り込んでよくマッサージしておくと、お金を生み出しやすくなります。

肌荒れがひどい人は、「きれいな水」をたっぷり取り込んで。飲む水はもちろん、お風呂場や洗面所にも浄水器をつけるなど、肌にふれる水もできるだけきれいなものを使うようにしましょう。日差しの強い季節は日焼け止めを塗り、紫外線をブロックすることも忘れずに。

なお、「水」の気は化学的な成分を嫌うので、シャンプーやボディソープ、化粧水などはできればオーガニックなものをおすすめします。特にシリコン入りのシャンプーは自然な「水」の流れを滞らせてしまうので、使わないほうがいいでしょう。ただし、使い勝手が悪いものは金運に負担をかけてしまうので、成分だけでなく、使いやすいかどうかも考えて選びましょう。

「白目のきれいな人」は金運に好かれます

瞳のケアも金運アップには欠かせません。「白目がきれいな人は金運のいい人」と言われていますから、日頃から目によいサプリメントやブルーベリーなどを積極的に食べ、瞳、特に白目をきれいにするように心がけましょう。目が疲れやすい人、すぐ充血してしまう人は目薬をこまめにさして。

また、夜眠る前に瞳に気を送るのもおすすめです。リラックスした状態で自分の手を軽く目に当て、10～30秒くらい気を送ります。これを1か月ほど続けると、黒目が際だち、瞳の美しさがアップしますよ。

お金を呼び込むヘアメイク

女性は巻き髪でお金の循環を促して、男性は整髪料のつけすぎに注意

金運に好かれる女性のヘアスタイルは、なんといっても「巻き髪」。くるくるとカールさせることで、お金を循環させ、自分のもとに呼び込めます。同じカールでも、外側にはねさせるスタイルは、お金を外に出すことになるので金運がほしい人には不向きです。

長さはアレンジのきくセミロングがベスト。丸みを強調することが金運を呼び込むポイントなので、丸顔の人はフェイスラインを隠すよりも、むしろ目立たせて。髪自体が健康できれいなことも重要なので、もし毛先が傷んでいるなら思いきってカットし、髪の状態をととのえることから始めましょう。前髪はあってもなくてもかまいませんが、パツンと切りそろえる場合は、額に気が停滞しやすいので、指でフェイスラインをなぞるようにこまめにマッサージしましょう。また、前髪を斜めに流すとお金の循環がスムーズになります。

髪型は毎日ころころ替えると金運のベースが定まらず、かえってお金が増えにくくなる

ので、週のうち4～5日は基本の髪型にし、残りの日にアレンジを楽しんで。セミロング～ロングヘアの人は、カチューシャで頭頂部に高さを出したり、夜会巻きやトップにボリュームをもたせた「盛り髪」にチャレンジしてみるのもいいでしょう。ただし、ヘアスプレーのつけすぎは「水」の気を淀ませ、金毒を増やすもとになるので気をつけましょう。

ショートヘアの人はトップを少し長めに残してカールさせるか、カットで丸みを出すのがコツ。洗いっぱなしではなく、アレンジを加えるようにしましょう。忙しくてヘアアレンジに手がかけられない場合は、カチューシャをするだけでも効果があります。

男性のヘアスタイルは、「伸ばしすぎない、凝りすぎない」ことが大事です。不潔に見えてしまうボサボサの長髪や、突出して目立つ髪型は金運ダウンにつながるので避けて。においのきつい整髪料やハードに固めるタイプのワックスもお金を燃やしてしまうので、整髪料は軽い質感のものを使い、つけすぎないようにしましょう。

金運メイクは「丸く見せる」のがコツ

ふんわりと優しい印象のメイクアップを心がけると、人にもお金にも愛されるようになります。血色よく見せるため、チークカラーは明るめの色を選び、ほお骨のトップ部分を強調するようにふんわりと丸く入れましょう。また、鼻筋も「金」の気をもつ大切なパーツ。テカリと皮脂はしっかり除去し、白系のハイライトで鼻筋を強調して。

眉のラインも丸く、ソフトに描いてみましょう。眉に全く気を遣わなかったり、手を入れすぎて眉の形が不自然に細かったり強かったりすると、金運がやってこなくなります。アイメイクはアイラインとマスカラで目を丸く、かわいらしく見せるとよいでしょう。アイラインで目のきわを強調し、「たれ目」に見せるのもラッキーです。お金をつい使いすぎてしまう人は、ブラウン系のアイメイクを。まぶたのベースカラーにはマットなベージュを選び、好みでゴールドラメを入れても。また、目尻に白をポイントで入れると、財運がアップします。

また、風水では、唇が大きい人ほど金運も豊かだと考えます。ルージュやグロスは唇がうるおってぷるんとつややかに見えるタイプのものを選び、下唇を少し大きめに書くと効果的です。

金運に好かれるファッション〜女性編〜

丸みのあるアイテムで金運を呼び込みましょう

金運に好かれるファッションのポイントは「丸み」。パフスリーブやラウンドネックのトップスやフレアスカート、バルーンスカートなど、丸みのあるアイテムをどこかに取り入れましょう。ジーンズに合わせるならシャープに見えるシャツより、ふんわりしたチュニックを選んで。ふわふわしたニットやシルクのアイテムも金の気を呼び寄せてくれます。

着こなしのポイントは「上質感」。ジーンズやTシャツといったカジュアルな服も、パールのアクセサリーなどを合わせて品のある着こなしを心がけましょう。

なお、高価な服を着れば金運が上がるかというと、決してそうではありません。たとえ高級ブランドの服でも、着心地が悪いもの、特に伸縮性がなく、体を締め付けるものはかえって運気ダウンにつながります。

タイトすぎるジーンズや、肩幅が狭く、動きづらいジャケットなどはなるべく避け、動きやすい服を選びましょう。

ベースカラーは白〜クリーム色

ファッションアイテムをそろえるときは白、ベージュ、クリーム色などをベースにするといいでしょう。「貯める」力のあるブラウンをクリーム色やパステルイエローと組み合わせて使うのもおすすめです。靴や小物は茶色かベージュをベースにそろえるとお金が貯まりやすくなります。

なお、黒は今の運を固定する働きがあるので、ベースカラーとして身につけるのは避けて。黒い服は調子のいいときに身につけて運を際だたせ、翌日は違う色を着るというのがもっとも効果的です。

小物使いで金運アップ

金運を上げたいなら、小物使いの達人になりましょう。金運は「プラスアルファ」のものが多ければ多いほど豊かになるので、必要最小限のファッションではなく、大ぶりのアクセサリーやストール、ベルトなどで「飾る」ことを心がけて。

靴

トゥが丸く、つま先とかかとの高低差がないものがおすすめです。高いヒールが好きな人はウェッジヒールタイプを。不安定なピンヒールはお金が落ち着かないので避けましょう。足に合わない靴を無理に履くのも金運ダウンのもとです。シンプルな靴はシューズアクセサリーをつけてアレンジすると、さらに金運がアップ。

天然石のアクセサリー

天然石のアクセサリーは、金運アップの強い味方です。アクセサリーを買うときは、今持っているものよりワンランク上のものを選ぶようにしましょう。アクセサリーのグレードを上げることで、「金」の気も成長します。

ブレスレット、バングル

アクセサリーはあまり身につけないという人は、シンプルなブレスレットやバングルで金運を呼び込みましょう。おすすめは天然石がついたものや二連タイプ。左手は出会いを呼ぶ手なので、金運がほしい場合は右手にするのがコツ。

バッグ

大きすぎたり重すぎたりするものは避け、使い勝手のよいものを選びましょう。形で選ぶなら、丸形や筒型、底が広がった台形型のバッグがおすすめです。チャームをつけてアレンジするとさらに金運アップ。

スカーフ、ストール

スカーフやストールなどの巻きものは、足りない金運を補ってくれる「補充」のアイテム。シンプルな服が多い人は、こういったアイテムをぜひ充実させて。シルクコットン、ウールガーゼなど、やわらかくて肌触りのいいものを選びましょう。

ベルト

「ためる」「つなぐ」力をもつアイテムなので、お金を貯めたい人はベルトに気を配って。太さや色の違うものを何本かそろえ、服に合わせて使い分けましょう。チュニックやワンピースの上から太いベルトを締めるのもおすすめ。使途不明金が多い人もベルトをすると出ていくお金を引き留めることができます。

時計

女性の場合、きちんとした時計を自分のベースとしてもちつつ、オフでは遊び心のあるデザインウォッチも使うというスタイルが理想です。ベースの時計は高級感のあるブランド時計か、ジュエリーウォッチがおすすめ。ベルトは革製より金属製、フェイスは円形、楕円形、たる形など丸みのある形がいいでしょう。

「今の自分よりワンランク上」のものを選ぶと、それに合わせて金運もランクアップします。ただし、無理をすると金運に負荷がかかるので、現金払いかカード一括払いで買える範囲のものを選びましょう。

金運アップのための下着選び

肌に直接ふれる下着は、運気に大きな影響を与える重要なアイテムです。特に存在自体が「水」の気をもつ女性の場合、どんな下着を選ぶかで金運も大きく変わってきます。

下着の中でも、もっとも重要なのがブラジャー。「金」のパーツであるバストを豊かに見せることで金運も豊かにふくらんでいきますから、バストアップ効果が高く、胸を形よく見せてくれるものを選びましょう。ただし、ワイヤーがきついものは運に負担をかけてしまうので避けたほうがいいでしょう。

また、お金をたくさん生み出すためには、機能だけでなく、かわいらしくデコラティブなデザインであることも重要です。たとえば、水玉模様や大きめの花柄、シルバーやゴールドの刺繍入り、コサージュ風の飾りがついているものなどは、金運アップに効果的。ストラップがおしゃれなものもいいですね。色はクリーム色、パステルイエロー、白といった金運カラーがいいでしょう。

素材はシルクがベストですが、気に入るものが見つからなければ、そんなにこだわらなくてもかまいません。ただし、直接肌にふれる部分だけは、コットンなど天然素材を使用したものを選んでください。

ショーツはヒップをしっかり包み込み、丸く形よく見せてくれるものを選びましょう。ローライズショーツや極端なビキニタイプは金運アップには向きません。また、ブラジャーとショーツをセットアップで身につけると、さらに運気が上がります。難しい場合は、色だけでもそろえるようにしましょう。ちなみに、身につけるときはブラジャーを先につけるのが金運アップの大原則。それだけで金運が大きく変わってくるので、覚えておきましょう。

なお、古くなった下着は「水」の気を淀ませ、金運だけでなく、恋愛運、出会い運などさまざまな運にダメージを与えます。「まだ着られる」「もったいない」などと思わずに、半年から1年くらいの周期でこまめに買い替えるようにしましょう。

金運に好かれるファッション～男性編～

オイリー肌は金運ダウン

男性は女性ほど肌に気を遣わない人が多いのですが、肌がきれいかどうかは金運を左右する大切なポイントなので、きちんとお手入れを。

特にオイリー肌の人はお金の変動が激しくなりがちなので、こまめに皮脂をとるようにしましょう。ヒゲを伸ばしている人は、無精ヒゲに見えないよう、きちんと毎日手入れをしてください。

襟と袖口で「稼ぎ力」が決まる

男性の金運ファッションのポイントは「襟」と「袖口」。男性は首の後ろから気を吸収し、手元で発展させていく性質があるためです。どんなにおしゃれに装っていても、この

2か所がよれよれだったり汚れていたりすると、途端に金運が落ちますから気をつけて。
ノータイの場合も襟と袖口だけはピシッとさせておくことが大切です。毎日着るシャツはきちんとアイロンをかけるか、それが無理なら形状記憶素材のものを選ぶといいでしょう。姿勢にも気を配り、いつも背筋をピンと伸ばすように心がけると、気の吸収がさらによくなります。

ネクタイは同じ色、同じ柄ばかりをつけるのではなく、いろいろな色、柄のものをそろえましょう。男性はたくさんの色を身につけることで、たくさんの金運が得られます。おすすめはカーキ、ブラウン、ベージュ、紺など。赤などの強い色は毎日使うのではなく、ときどきアクセント的に登場させて。

ネクタイだけが目立ってしまわないよう、シャツとの組み合わせを考えて選びましょう。おすすめは、ライトグリーンのシャツに濃いグリーンのネクタイを合わせる、というような同系色での濃淡の組み合わせ。無地のシャツにチェックや水玉のネクタイを合わせるなど、無地と柄物を組み合わせるのもいいでしょう。ただし、あまり奇抜な絵柄や、派手なキャラクターもののネクタイをしていると、一瞬でお金が流れていってしまうので気をつけて。

さらに、「遊び心のあるファッション」も金運を上げるポイントのひとつ。スーツはシンプルでも、袖口のボタンだけ色が違うシャツやステッチが入ったシャツを取り入れる、カフスボタンを替えて楽しむなど、どこかに遊び心を取り入れることで仕事や人間関係が楽しくなり、お金も増えやすくなります。

なお、下着については女性ほどこだわる必要はなく、新しくて清潔なものを身につけていれば大丈夫。素材はシルクがベストですが、コットンでもラッキーです。ただし、黒い下着や派手な絵柄の下着は避けたほうがいいでしょう。

靴と時計はＴＰＯで使い分けて

ファッション小物や仕事アイテムで、もっともこだわるべきところは靴と時計。特に、靴のデザインや履き心地にこだわる男性は、豊かな金運に恵まれやすくなります。

靴は高級なものでなくてもかまいませんが、仕事のときは革靴、休日はスニーカーというように、シチュエーションに合わせて靴を履き分けるようにすると、金運がアップします。靴選びのポイントは、足にフィットしているかどうか。履き心地の悪い靴を履いていると「貯める」力が弱くなるので、足に合わない靴は避けましょう。ひも靴など履くのに手間がかかる靴もおすすめできません。

また、靴の臭いは金運ダウンにつながるので、消臭効果のあるシューキーパーを使ったり、ときどき陰干しして湿気をとりましょう。

時計も靴と同じように、ＴＰＯで使い分けることが運気アップのポイントです。仕事用の時計は自分のステータスをあらわすアイテムなので、「今の自分よりワンランク上」のものを持ち、そのほかにスポーツタイプのもの、遊び心のあるカラフルなものなどをオンとオフで使い分けるようにすると、豊かな金運がめぐってきます。

オフの日はシンプルで上質な服を

平日はスーツでビシッとキメていても、休日ウェアとなるとゴルフシャツやジャージばかり……ということになりがちですが、金運を上げたいなら、オフの日こそ上質な服を着ましょう。

ベースはシャツやＴシャツ、ポロシャツなどにジーンズかコットンパンツなどを組み合わせてシンプルに。高価でなくてもいいので、質のよいものを選ぶのがコツです。ジーンズをよくはく人はベルトや靴にこだわってみて。カジュアルなジーンズとワザありジーンズを使い分けるのもいいでしょう。

さらに、夏は麻、冬はウールなど季節の素材をじょうずに取り入れるとさらに運気がアップします。ソックスやマフラーを柄物にしたり、ちょっとビビッドカラーを取り入れて遊ぶのもおすすめです。

金運がいい人は「歯」がきれい

デンタルケアで金運アップ

メイクやファッションには気を遣っていても、歯に気を遣わないという人は案外多いものです。歯は体の中でも「金」に属するパーツ。お金持ちになりたいなら、歯のケアをきちんとしましょう。

歯ブラシや歯みがき剤など、デンタルケア用品に気を配るだけでもお金が増えやすくなります。香りのいいものを使うと歯みがきが楽しくなるので、香りにこだわって選ぶのもいいでしょう。ローズは女性の運気全般を上げてくれますし、ピーチの香りは金毒を流してくれる効果があります。浄化効果の高い炭入りの歯みがき剤もおすすめです。

また、口の中に雑菌があると金運が落ちてしまうので、仕事中に歯みがきができない場合は洗口液を持ち歩いてこまめに口の中をゆすぎましょう。

親知らずはお金を流してしまうので早めに抜いて

風水では、「歯並びの悪い人は金運が悪い」というのが定説。極端に歯並びが悪い人は、もし可能なら矯正するのがベストです。

奥歯の一番うしろにある親知らずをそのままにしている人も要注意。この歯は「きりぎりすっ歯」と呼ばれ、お金をどんどん使って流してしまうというこわい性質があります。あえて抜くのはもったいない……という場合は、きちんとケアをしていればそのままでもかまいません。ただし、しばらく様子を見て、やっぱりお金の流出が激しいと感じたら、抜いたほうがいいでしょう。

また、歯の表面がたばこのヤニや茶渋などでくすんでしまっている人は、「金」の気もくすみがち。定期的に歯医者さんでクリーニングしてもらいましょう。

金運を呼ぶ香りとルームフレグランス

リュクス感のある甘い香りを身につけて

香りはさまざまな出会いを引き寄せてくれるラッキーアイテム。よい香りを身につけている人は、お金や楽しみごとにも出会いやすくなります。金運アップに効果的なのは、少し甘めでリュクス感のある香りです。

花の香りなら、ローズ、ゼラニウム、スイセン、ジャスミン、ロータス、ミモザなど。果物ならピーチ、アプリコット、洋なし、いちじく、ざくろ、ブラックカラント、柚子などがいいでしょう。そのほか、バニラ、はちみつ、紅茶なども金運を呼ぶ香りです。

レモンやグレープフルーツのようなさわやかな柑橘系の香りは、単体では金運アップには向かないので、甘い香りとミックスして使いましょう。甘い香りが苦手な人は、ローズウッド、マジョラムのように、ウッド系・ハーブ系で甘さのある香りを選ぶといいでしょう。ラベンダーも金毒を浄化してくれるのでおすすめです。

男性の場合は、女性より火毒がたまりやすいので、浄化作用のあるウッド系の香りをベースに使いましょう。トップノートはウッド系で、ラストノートにほんのり甘い香りが残るものを選ぶといいでしょう。

「おいしそうな香り」は、金運がいい家のキーワード

自分が香りを身につけることももちろん大切ですが、住空間にもぜひ香りを吸収させて。よい香りを漂わせることで、家全体が「金運のいい空間」に変わっていきます。特に、家族が集まるリビングは香りをたやさないようにしましょう。

ルームフレグランスは、身につける香りと同じく、やや甘めのものが金運を呼びます。3月から5月にかけての「木」の季節は、煙の出るお香をたくのがもっとも効果的。それ以外の季節はアロマオイルやリネンウォーターなど、好みの方法で香りを楽しみましょう。可能なら空気清浄機能のあるアロマアイテムを使うと、空間にたまった金毒を浄化しつつ金運アップ効果ものぞめます。

玄関や寝室は人目が届きにくいので、アロマディフューザーなど火を使わないアイテム

をじょうずに活用して。アロマストーンにオイルをしみこませておくのも簡単でおすすめです。お香やオイルは面倒……という人は、アイロンがけのときにリネンウォーターをシュッとひとふきするだけでも効果がありますよ。

また、「おいしそうな香りのする家」というのも、金運においては重要なキーワード。パンが焼ける香ばしい香り、コーヒーの香り、ケーキの焼けるにおいなど、食べ物の「よい香り」が家の中にたちこめている……そんなシチュエーションが多ければ多いほど、金運が増えやすくなります。

逆に、カビくさい臭いやゴミの臭いなどが少しでも感じられると、金運は大きくダウンしてしまいます。梅雨どきは、部屋干しにした洗濯物の臭いなども要注意。部屋干し専用の洗剤を使うなど、工夫をしましょう。「芳香」はもちろん大切ですが、それ以前に「消臭」をしっかりすることこそ、金運アップのポイントです。

ジュエリーはまさに「宝の石」

金運を上げたいなら、ジュエリーを身につける習慣を

金運を豊かにしたいなら、どんなに小さなものでもいいので、本物のジュエリーを身につける習慣をつけましょう。

ジュエリーは、長い年月をかけて大地や海のエネルギーが凝固してできあがったもの。風水的には「土」の気と「金」の気をもつとされ、身につけるだけで、その石がもっている自然界のエネルギーを吸収することができる、まさに「宝の石」と言えます。

「お金がないから宝石なんて」と思うかもしれませんが、手頃な値段のものも、たくさん売られています。最初から無理をして高い宝石を買うのではなく、まずは今の自分に買えるものや手元にあるものに気を向けて、その石と仲良くなりましょう。常に身につけ、持ち歩いていれば、ジュエリーはあなたの思いにこたえ、金運だけでなく、あらゆる運にプラスアルファのパワーを与えてくれます。

なお、風水でいうジュエリーは天然石、およびパールやアンバーなど、生物が生み出す天然物質のこと。合成石は「金」の気をもってはいますが、ジュエリーには含まれません。

金運を呼ぶジュエリーベスト8

ジュエリーはどれも「金」の気をもっていますが、ここでは特に金運アップに力を発揮してくれるものをご紹介します。

①ダイヤモンド

ジュエリーの王者と呼ばれるダイヤモンドは、金運だけでなく、さまざまな運をもたらしてくれるオールマイティーな石。持ち主に代わって悪い気を吸収し、災いを防いでくれる身代わりとしてのパワーも強大です。チャンスを与えてくれる力もあるので、自分を変えたいときに購入するといいでしょう。パヴェダイヤはパワーが弱いので、小さくても一粒ダイヤを選んで。また、ダイヤモンドは持ち主に降りかかる悪い気を吸収するため、消耗も激しいのが特徴。こまめに浄化してパワーを保ちましょう。

②パール

楽しく使えるお金を増やしてくれるほか、女性の幸せ全般をつかさどるジュエリーです。特に海から産出されるパールは、お金を生み出す力を与えてくれるので、ぜひ日常的に身につけて。淡水パールはどちらかというと恋愛運がほしい人に向いています。浄化するときは、月光浴をさせましょう。

なお、パールといえば白やピンクが一般的ですが、ブラウンパールやゴールドパールも金運を引き寄せるパワーが強いので、持っていて損はありません。グレーパールはほかの色のパールと組み合わせて使うと効果的です。

③めのう

めのうは金運の循環を促すとともに、大きな財運をもたらしてくれる石。さまざまな色のものがありますが、特にクリーム色～黄色がかったものが金運アップに効果的です。銀行印の材料として使うとお金を増やしてくれます。花瓶の花留めに使ったり、箸置きとして利用するのもいいでしょう。

④ファントムクオーツ

内部に「ファントム」と呼ばれる山のような層が幾重にも重なっている水晶。生成の過程で停止と成長を繰り返したために、このような層ができあがるのだと言われています。水晶の中では希少価値が高く、「財」の運気を鍛えてくれる強いパワーをもっています。

⑤サファイヤ

強力な財運とステータス運をもつ石です。ピンクサファイヤはステータスの高い人との縁をもたらしてくれる、いわば「玉の輿石」。ブルーのサファイヤは、ステータスを与えてくれる強いパワーをもち、魔よけとしても使われます。どちらもクラシカルなデザインのものを選び、品よく身につけるのがコツです。

ちなみに、光を当てると六条の光を放つものはスターサファイヤと呼ばれ、劇的に金運を上げてくれる効果がありますが、希少品なのでなかなか見ることはできません。

⑥トパーズ

楽しく使えるお金を増やし、豊かさを生み出してくれる石。ゴールドの台と組み合わせることでパワーが倍増します。なかでも、ブラジル産のやや赤みがかった黄色い色調のトパーズはインペリアルトパーズと呼ばれ、もたらすパワーも強大ですが、高価で買えないという場合は、普通のトパーズでもかまいません。ただし、必ず黄色系のものを選びましょう。また、水晶に黄色く色づけをしたものを「シトリントパーズ」と呼ぶことがありますが、これは別の石ですからくれぐれも間違えないようにしてください。

⑦タンザナイト

豊かな財運をもたらしてくれる石。角度によってブルーやラベンダー色に見えるのが特徴です。物理的な豊かさだけでなく、心の豊かさも与えてくれるとともに、楽しみごとを増やしてくれる作用があります。清楚で品のよいファッションに合わせて身につけて。

⑧ひすい（ジェード）

願い事、特に金運に関する願い事をひとつだけかなえてくれる石。リングやバングルなど、肌にふれる場所に身につけることでより強い力を発揮します。

願いをかけるときは、きちんと浄化して波長を合わせてから、願い事を口に出してよく言い聞かせるか、願い事を書いた紙にひすいをくるみ、そのまま1日置いておきます。願いをかなえると割れてしまうこともよくあります。その場合は、吉方位旅行に出かけるときに持っていき、きれいな水のそばのゴミ箱に捨てましょう。また、割れなかった場合も願いをかなえることでかなりパワーを消耗しているので、1か月ほど土に埋めて休ませてから使うようにしてください。

「ファーストジュエリー」の選び方

「金運に効くジュエリーを買いたいけれど、どれを買ったらいいのかわからない」……そんなジュエリービギナーさんも多いと思います。そこで、ここではそんな方たちのために、もっとも効率的に金運が得られるジュエリーの買い方をお教えします。もちろん、この通りでなくてもいいのですが、これからジュエリーを買おうと思っている方は、ぜひ参考にしてください。

まず、最初に買っておきたいファーストジュエリー。これは女性ならパールのネックレスが断然おすすめです。パールが連なっているタイプもいいのですが、普段使いにするなら一粒タイプのネックレスがいいでしょう。ベースはシルバーやプラチナよりゴールドのものを。なお、パールは女性の運気全般を上げてくれる作用があるので、誕生日などの記念日にひとつずつパールのアクセサリーを買い足していくのもいいでしょう。

その次にそろえたいのはサファイヤ。未婚の方なら玉の輿運をもつピンクサファイヤ、既婚の方はステータスアップにつながるブルーサファイヤがいいでしょう。ただし、すでに結婚していても自分でバリバリ稼ぐキャリアウーマンタイプなら、ピンクサファイヤでもかまいません。サファイヤはピアスやイヤリングには向かない石なので、クラシカルなデザインのリングかネックレスがいいでしょう。

ジュエリー初心者なら、この2種類を持っていればまずは十分ですが、もし余裕があれば、ぜひ一粒ダイヤのネックレスを。粒が大きければ大きいほどもたらす力は強くなるので、同じ価格なら小さいダイヤがいくつも連なっているものより、なるべく一粒が大きいものを選びましょう。ダイヤモンドは大きなチャンスをもたらしてくれる力があるので、人生のステージが転換しそうなときに、次はピアス、その次は違うデザインのネックレス……というように、ひとつずつ買い足していくのもいいでしょう。

とにかく金運を強力に押し上げたいという人には、これに加えてひすいのバングルを。

ひすいはカラーバリエーションが豊富なので、好みのものを選びましょう。なかでもおすすめは豊かな金運をもたらしてくれる「ホワイトジェード」（白ひすい）。紫色の「ラベンダーひすい」もお金とステータスの両方を与えてくれます。どちらも女性のファッションに合わせやすく、使いやすい石です。

ジュエリーは自分のコンディションのよいときに買いましょう

ジュエリーを購入するときの絶対条件、それは自分自身のコンディションがよいときに買う、ということです。というのも、ジュエリーは持ち主のもっている気と呼応するため、体調の悪いときや気分が落ち込んでいるときには、力のない石を呼び寄せてしまうからです。これはネットショッピングでも同じ。もし、体調や気分がすぐれないときに気になる石を見つけたら、決して衝動買いせず、体調が回復してからもう一度見に行くようにしましょう。

買う場所については、デパートやジュエリーショップ、ネットショップなどどこでもかまいませんが、「感じがいいな」「ここで買いたいな」と感じられる店で買いましょう。ディスカウントショップなど安売りがモットーの店や、なんとなく生気がなく暗い店、今にもつぶれそうな店は避けたほうがいいでしょう。ちなみに、私は吉方位旅行に出かけたときに旅先で買うことがありますが、それは、天然石にはその土地の気を吸う性質があるため。吉方位で買えば、石がもともと持っている運気だけでなく、その土地の運も一緒に手に入れることができるのです。特に西方位や北西方位が吉方位のときは、ジュエリーショップに立ち寄るだけでも金運が上がりますよ。

ジュエリーを購入するときは自分の直感を信じましょう。「この石が好き」「これがほしい」と思う石は、きっと幸運を運んでくれます。気になる石があったら手でふれてみるのもいい方法。なんとなく温かい波動を感じたら、相性のいい石だという証です。自分と気の合う石を見つけたら、そこで初めて値段をチェックします。現金で払える範囲ならそれが自分にとってのラッキージュエリー。もし高価すぎて買えない場合は、自分とは合わなかったのだと思いましょう。無理をして高価なジュエリーを買っても、金運が上がるどころか、かえって自分の運に負担をかけ、金運を落とすことになるので、「買えないもの」に執着しないことも大切です。

使い始める前にジュエリーと仲良くなりましょう

購入したジュエリーは、自分のところに来るまでに悪い気を吸ってしまっている可能性もあるので、まず浄化して悪い気を流してから使い始めます。紫外線に弱いものや色落ちしやすいものもあるので、ジュエリーの性質に合った浄化法を選んでください。

使い始める日は、元日、立春、春分などの暦の節目となる日や自分の誕生日、または新月の日がいいでしょう。使い始める前に9日間以上持ち歩き、ジュエリーと波長を合わせます。この期間中は、自分以外の人にそのジュエリーを見られたりしないように気をつけて。もしうっかりほかの人の目にふれてしまった場合は、もう一度やり直しましょう。

また、ジュエリーは持ち主に何か悪いことが起こったとき、その悪い気を吸収してくれる性質があるので、使い始めてからも1カ月に1回（ダイヤモンドは1週間に1回）くらいの頻度で浄化するようにしてください。

使い終わってはずしたジュエリーは出しっぱなしにするのではなく、陶製または木製でふた付きのジュエリーボックスに入れ、休ませてあげましょう。輝きがなくなるなど、極端にパワーが弱まったと感じたときは、陶製の香炉などに吉方位のパワースポットなどでいただいた土や砂を敷き、そこに埋めてパワーチャージを。パールなど「水」の気をもつ石やインペリアルトパーズは、月のきれいな夜に身につけて月光を浴びる「月光浴」でも浄化とパワーチャージをすることができます。

ジュエリーの浄化方法

●

□午前中（日の出から11時ごろまで）の直射日光に当てる

□ジュエリーを手に持ち、流水に当てて悪い気を洗い流す

□塩にひと晩埋めてから水洗いするか、塩水にひたす

□ジュエリーを持ち、ミント、ユーカリ、ホワイトセージなどのお香の煙に3～5分かざす

金運を呼び込む休日の過ごし方

みなさんは休日をどのように過ごしていますか?

週休2日制で土曜と日曜の2日間ともお休みの場合、土曜日にお出かけして日曜日はのんびり過ごす……というパターンが多いと思いますが、実はこれ、風水的には逆、つまり土曜日はのんびりと、日曜日はアクティブに過ごすほうがいいんです。

たとえば土曜日は、家でDVDを見たり読書をしたり、時間をかけてちょっと手の込んだ料理を作って家での食事を楽しんだり……というのがおすすめです。もし土曜日にお出かけするなら、遅めの時間帯に動き始めるとラッキー。

反対に日曜日は早い時間帯に運があり、遅くなるにつれて運がなくなってしまうので、午前中から活動を開始し、早めに切り上げるようにしましょう。

4章　豊かさを呼び寄せる食風水

「何を食べるか」より「どう食べるか」が大事です

「食べる」行為は、「金」の気をもつ

風水では、「食べ物」だけでなく、「食べる」という行為そのものも「金」の気をもつと考えられています。何かを食べることは、それだけで金運を鍛えることにつながるのです。とはいえ、何でもいいから食べてさえいれば金運が上がる、というわけではありません。よく「安ければ何でもいい」とか「満腹になりさえすればいい」というような言い方をする人がいますが、そんなふうに食をないがしろにする人は、金運をないがしろにしているのと同じ。絶対に金運には恵まれません。

では、高級な食材を使ったぜいたくな料理を食べればいいのかというと、それも違います。食材や調理法は運に影響する要素のひとつではありますが、食事にかけたお金の分だけ運が上がるわけではありません。大切なのは、器や盛りつけ、誰と食べるか……といった食のシチュエーション。同じ食材、同じ料理でも、間に合わせで買った器にいい加減に

盛りつけて食べるのと、お気に入りの器にきちんと盛りつけ、楽しく食べるのとでは、得られる運気は全く変わってきます。

重要なのは、「何を食べるか」ではなく、「どう食べるか」。「こんなおいしいものを食べられて幸せ」と感じられるような食事は、おなかだけでなく心も満たしてくれるもの。そういう食事を続けていれば、知らず知らずのうちに、自分でお金を生み出せる「金運体質」になっていきますよ。

買ってきたお総菜でも食べ方次第で金運アップ

なかには、忙しくて食事にまで気配りできない、仕事中は食べるだけで精一杯、という人もいるでしょう。そういう人は無理をする必要はありません。自分で作る時間がなければ、外食をしたりお総菜を買ったりしてもいいのです。

ただし、買ったものを食卓に並べるときは、きちんと器に盛り直し、割り箸ではなく、きちんとした箸やスプーンを用意しましょう。このひと手間で食から得られる運気が大きく変わってきます。コンビニで買ったプリンやスイーツも、カップの下に陶器のお皿を敷き、金属のスプーンで食べると、より豊かな気が得られます。

食事制限のあるダイエットは短期集中で

運動をして代謝を上げるタイプのダイエットは、適度に「火」の気を強め、金運の循環を促すことになるのでぜひトライしてください。気をつけたほうがいいのは、食事制限のあるダイエット。理由は何であれ、食を制限したり我慢したりすると、金運を生み出す力を弱めてしまうからです。もしどうしてもそういうダイエットに挑戦したい場合は、短期集中で行い、成果が出なければ早めに切り上げましょう。

ダイエット中だからといって食事をおろそかにするのもよくありません。ローカロリーでありながらおいしく味わえるようなメニューを工夫し、楽しく心豊かに食べるように心がけましょう。

また、ダイエット＝甘いものはダメ、と考えがちですが、甘いものを我慢するのは金運ダウンのもと。カロリーが気になるなら、「食べない」のではなく、「食べる量や回数を減らす」ことを考えましょう。「お楽しみ」としてときどき食べることで豊かさが増えますし、ストレスが解消されてダイエットも長続きしますよ。

なお、同じ間食でも、ポテトチップなどのスナック菓子は要注意。悪い「火」の気をもつ合成添加物が含まれているため、とりすぎると金毒《ごんどく》がどんどんたまっていきます。たまに食べるくらいならかまいませんが、その場合は、袋に手を突っ込んで食べるのではなく、きちんとお皿に盛って食べましょう。

金運を上げる食べ方5か条

①家族で楽しく食べる

「金」の気は楽しむことから生まれます。ゆったりと楽しんで食べることで自分自身の豊かさが増えていきます。

金運を生み出すのは「土」ですから、自分の土壌である家族と一緒に食べることも大切です。特にご主人が食を楽しんでいない家は、家族全員の金運がどんどん落ちていくので気をつけて。ご主人が忙しくて帰りが遅い、あるいは子どもが塾や習い事で食事の時間が合わないという場合は、週末だけでもいいので家族そろって食事ができるといいですね。

一人暮らしで食事もひとりきり、という方は陰の気が生じやすいので気をつけて。友人や恋人と一緒に食べる機会を積極的に作るか、ひとりで食べる場合は、音楽をかけたりラ

ジオをつけるなどして陽の気を高めましょう。また、「ひとりだから器なんてどうでもいいや」と思わないこと。器や盛りつけに気を配り、心楽しく食べるように心がけましょう。

②器にこだわる

食器は「金」の気を増やすベース。お気に入りの食器や高価な食器を「お客様用」にしている人もいますが、普段使いの食器こそ、お気に入りのものを使いたいもの。気に入った食器を使うことで、食事から取り込む「気」が「入り」やすくなるため、効率的に運気を上げることができます。

さらにもうワンランク上を目指すなら、「この料理にはこの器が合いそう」「春だから桜モチーフのお皿を使ってみよう」というように、メニューや季節に合わせて器を使い分けてみましょう。ＴＰＯで器を使い分けられる人は、努力しなくても何もないところからお金を生み出していくことができます。定番の器だけでなく、葉っぱの形のお皿など、遊び心のある器もじょうずに取り入れて。

③盛りつけにひと工夫する

料理を「目で味わう」ことも、金運アップの大切な要素。同じ料理でも、パセリを少しふったり、ソースをお皿に敷いてから盛りつけたりするだけで、得られる豊かさは何倍にもなります。お子さんの食事なら、ご飯を型抜きしたり、野菜を飾り切りしたりするのもおすすめです。

盛りつけるときは自分が思っているよりひと回り大きめのお皿を選ぶのもポイント。料理の見栄えがアップするだけでなく、金運の土壌もひと回り大きくなります。

④旬のものを食べる

春なら新キャベツやグリンピース、夏は枝豆、とうもろこし……というように、その季節に旬を迎える食材を積極的に食べましょう。旬の食材にはその時期にしか得られない気がたっぷり含まれています。旬の食材をひとつ食べるごとに金運のベースがひとつ増えるといっても過言ではありません。なお、その季節に初めてその食材を食べる、つまり「初もの」を食べるときは笑顔で食べる、というのも運気アップの秘訣です。

⑤締めくくりは「幸せな味覚」で

食事の最後に「幸せ」「おいしい」と感じるものを食べることで、「充実」の運気が生まれ、豊かさや楽しみごとを作り出す力が生じます。ですから、苦手なものは最後に残さないようにして。もし最後に口に入れたものがおいしくなかった場合は、違うものをひと口食べて口直しをしましょう。

また、人は甘いものを食べると幸せな気持ちになるもの。ですから、食事のあとは少しでもいいのでデザートを食べ、「幸せな味覚」で締めくくる習慣をつけましょう。金運アップには、シュークリームなど甘くこってりしたスイーツがおすすめですが、甘いものが苦手な人は、甘みのある果物をデザートとしていただくのもいいでしょう。その場合、食事の一部としてさっと食べてしまうのではなく、きちんと器に盛りつけ、「デザート」という意識をもって食べることが大切です。

「食べる環境」をととのえてさらに金運アップ

座り心地のよい椅子が金運を生み出します

食事から得られる運気は、どんな環境で食べているかによって大きく変わってきます。特に大切なのはダイニングチェア。椅子は土壌を安定させ、金運を生み出してくれるアイテムなので、座り心地のよいものを選びましょう。可能なら、稼ぎ手であるご主人の椅子だけでもひじかけ椅子にすると、家族全体の金運がアップします。

座卓で食事をしている場合も、床にそのまま座るのではなく、座布団を敷くか、座椅子などに座り、座り心地をよくして食べましょう。

ダイニングテーブルの上はいつもきれいに

ダイニングテーブルは、四角形か楕円形の天板で、明るい色の木製のものがベスト。真っ黒なテーブルは陰の気が強いので避けたほうが無難です。天板の色がダークトーンだったりガラス製だったりする場合は、布製のテーブルクロスをかけるといいでしょう。丸テーブルはティーテーブルにはいいのですが、運気が定着しにくく、食べ物から取り込んだ運が流れていってしまうので、ダイニングテーブルには不向き。もし使うなら、ランチョンマットを敷いて運の流出を防ぎましょう。

ダイニングテーブルで気をつけてほしいのは、素材や色より、むしろ使い方。テーブルの上にいつもテレビのリモコンや読みかけの雑誌、文房具などが置きっぱなしになっていて、その片隅で食事をする……などというのは、もっとも金運を落とす食環境ですから、絶対にやめましょう。

一人暮らしで部屋が狭く、リビング用のローテーブルしか置けない、という場合は、「ダイニングテーブルとして使うとき」と「それ以外のとき」をきちんと切り替えることが大切です。食事の時間になったら、本や文房具などはすべてテーブルから下ろし、テーブルクロスやランチョンマットを敷いて「食事用」の環境を作って。ソファなどに寄りかかって食べるのも運気ダウンにつながりますから、クッションなどを敷いて座り心地を整え、腰を伸ばして座るようにしましょう。

ランチョンマットや花で食卓を飾って

食から得られる運をさらに何倍にもしてくれるのが、テーブルコーディネイト。テーブルクロスやランチョンマットは洗濯が面倒だから使わないという人もいるかもしれませんが、マット類で食卓を彩ることは、金運を豊かにすることにつながります。特にランチョンマットには金運を定着させる作用もあるので、必ず敷くようにしましょう。ランチョンマットは布製が一般的ですが、竹製や木製もラッキーです。また、和紙を切ってランチョンマット代わりに使ったするのもいいですね。

さらに、金運アップに欠かせないのが、花。食事のとき、テーブルに一輪でもいいので花を飾るようにすると、食事から得られる充実度が高まり、金運も段違いにアップします。

器使いやテーブルセッティングはいつも同じではなく、ときどき変えてみることが大切。ナイフとフォークをきちんとセットしてみる、キャンドルを灯して食事をしてみるなど、いつもと違う雰囲気を楽しむのも、金運アップにつながります。

箸置きやカトラリーレストは必須アイテムです

器には気を遣っても、お箸やカトラリーの扱いにはあまり気を遣わない人が多いようです。お箸やカトラリーは金運のベースになるアイテムなので、テーブルにじかに置かず、必ず箸置きやカトラリーレストを使いましょう。箸置きがないと、お金の流れがルーズになり、貯めることができなくなってしまいます。

また、箸置きは豊かさを増やしてくれる「プラスアルファ」のアイテムでもあります。小枝などで箸置きを手作りしたり、春は桜、秋は紅葉……というように、季節に合ったモチーフの箸置きを使ったりすると、さらに金運が上がりますよ。

金運があるのはこの食材！

牛肉

貯蓄を増やすパワーがあります。衣をつけて揚げたり、野菜を巻くとさらに「貯め力」が上がります。「土」の気をもつ煮込み料理もおすすめ。

鶏肉

肉類の中では、最強の金運食材。楽しく使えるお金をもたらしてくれます。ローストやソテーにするとさらに「陽」の気が強まります。香草や野菜などを詰めて焼くのもいいでしょう。卵と合わせてピカタにすると貯蓄運もアップ。

砂糖・はちみつ

甘い味覚の調味料は、どれも強い「金」の気をもっています。白砂糖やグラニュー糖より、きび砂糖や黒糖など精製度の低いもののほうがより強力。料理によって砂糖を使い分けるのも金運アップにつながります。ただし、ペットボトル飲料やお菓子などに含まれている人工甘味料は、逆に金毒を増やしてしまうのでとりすぎに注意を。

また、黄金色のはちみつは、金運、楽しみごと、豊かさを与えてくれる、まさに「金」の食材。トーストやパンケーキにかけるだけでなく、調味料として煮物や照り焼きなど、毎日の料理にどんどん使いましょう。

卵

「生まれる」という運気を強くもつ卵は、お金や楽しみごとを生み出してくれます。1日のはじまりである朝食に食べるのが効果的。チーズを加えてオムレツにしたり、パンケーキにしてはちみつをかけたりと、ほかの金運食材とじょうずに組み合わせて食べましょう。オムライスのようにごはんと一緒に食べると、日常生活を楽しくしてくれる効果もあります。

牛乳・乳製品

牛乳や乳製品はお金を増やしてくれる食材。なかでもチーズは強い「金」の気をもち、お金をどんどん生み出して増やす作用があります。グラタンやピザに振りかけるなど、火を通してとろりとさせるとさらにパワーが強まります。チーズフォンデュなど、大勢で楽しく食べられる料理も豊かさを増やしてくれます。

牛乳は「水」の気を豊かにし、お金を増やす作用があります。甘みを加えることでさらに運気がアップするので、はちみつや黒糖を加えてミルクシェイクやホットミルクに。ヨーグルトは金運に変化をもたらしてくれるので、今の金運に満足していない人や、今あるお金を有意義に使いたい人が食べると効果的です。

豆腐

水分を多く含んでいる豆腐は、お金を増やしてくれるだけでなく、パートナーとの絆や愛情も深めてくれます。冷ややっこや湯豆腐はもちろん、とろみのついたあんをかけるあんかけ豆腐も金運アップに効果的。また、甘い味つけで食べると「金」の気が強まるので、豆腐や豆乳を使ったスイーツもおすすめです。

ごま

清浄化作用、特に金毒を流してくれる強いパワーをもっています。ごまあえのように甘みを加えて食べれば、金運を呼び込む効果も。牛乳や豆乳と合わせてごまプリンにしてもいいでしょう。

甘い果物

メロン、洋なし、マンゴー、ぶどう、桃など、甘い果物は金運を増やしてくれます。

なかでも桃はたまった金毒を浄化し、女性には美しさをもたらしてくれるので、旬の時期にできるだけたくさん食べましょう。メロンも金毒浄化に効果的。洋なしは貯蓄力を高めてくれます。ぶどうは生活をより豊かにしてくれる作用があり、ジュースにして飲むとより強いパワーが得られます。

米

お米は厳密な意味での「金」の食材ではありませんが、運のベースを作ってくれる大切な食材なので、1日に1回は食べるように心がけましょう。おいしいお米の炊き方を研究したり、五穀米などを炊いて変化をつけると、生命力がアップし、運が好転しやすくなります。「金」の気をもつ食材には陽の気が強いものが多いので、お米を一緒に食べることで運気が安定しやすくなるという効果もあります。

きれいな水で金運アップ

「金」の気は「水」にふれることで増えるので、きれいな水を飲み、きれいな水にふれることは、金運にとってはとてもいいこと。飲む水はミネラルウォーターか、浄水器を通したきれいな水を使いましょう。体の中がきれいな水で満ちることによって、金運がスムーズに増えていきます。とくに、朝一番に飲む水はもっとも体に吸収されやすいので、朝目がさめたら水を一杯飲む習慣をつけると効果的です。

さらに、本気で金運を上げたいなら、キッチンや浴室に浄水器を取りつけてみてはいかがでしょうか。「浄水器をつけるなんて面倒だし、飲む水はミネラルウォーターを買うからいらないわ」と言う人も多いかもしれません。でもキッチンで使う水は、野菜を洗う、麺をゆでる、ごはんを炊くなど、さまざまな用途をもつだけでなく、そのまま体に取り込まれるものですし、浴室で使う水は、髪や肌に直接ふれて体内に吸収されていくもの。水がきれいになれば、家族全員の金運が目に見えて変わってくるはずですよ。

豊かさを生み出すティータイム

ティータイムは金運タイム

ていねいに茶葉を選び、茶器にこだわって紅茶をいれ、ゆっくりと味わう……そんなティータイムは、金運を生み出すゴールデンタイム。お茶を飲むこと自体は「土」の気に属しますが、そこに「楽しむ」という要素が加わることで、金の気が生まれるためです。とりわけ、午後3時過ぎのティータイムは、自分の土壌に豊かさをもたらしてくれます。また、「水」の気は「金」の気を増やしてくれる作用があるので、雨が降っている日もティータイム日和ですよ。

ゆっくりお茶をいれる暇がなければ、ティーバッグやペットボトルのお茶でもかまいませんが、その場合は、ペットボトルごと飲むのではなく、きちんとマグカップやティーカップに注いで飲みましょう。

茶葉や茶器にもこだわって

金運を上げたいときは、日本茶やコーヒーより、紅茶または中国茶がいいでしょう。中国茶は、金運によい変化を与えてくれるお茶。専用の茶器を使っていれると、さらに高い効果が得られます。

紅茶は金運を安定させ、楽しい時間を過ごさせてくれます。砂糖やはちみつを加えて甘くしたり、ミルクやレモンを入れるとさらにパワーアップ。フレーバーティーなら、ピーチティーやバニラティー、キャラメルティーなど、甘い香りのものがおすすめです。紅茶をおいしくいれられる人は金運に恵まれやすくなるので、いれ方や茶葉にとことんこだわってみてもいいでしょう。「ミルクティーにはこのお茶」「ストレートならこっちが合いそう」というように、茶葉を使い分けられるようになると、さらに豊かさが増えていきますよ。

また、どんなお茶でも同じカップを使うのではなく、紅茶ならティーカップ、中国茶なら専用の中国茶器、というように、そのお茶の郷土に合った器を使うことも大切です。ティーコゼやアフタヌーンティー用のトレイなど、「なくてもいいけれど、あると豊かになる」アイテムを少しずつ買い足していくのも金運アップにつながります。

「こってり&とろり」スイーツで「金」の気を増やしましょう

ティータイムに欠かせないものといえば、スイーツ。金運アップのためには、お茶だけでなく、「金」の味覚をもつ甘いお菓子をぜひ一緒に食べてほしいものです。特にカスタードクリームやチーズを使ったスイーツは、強力な「金」の気をもっています。「金」の気の象徴である丸い形をしているシュークリームは、楽しみごとを呼び寄せてくれる金運スイーツ。チーズケーキも金運を豊かにしてくれる効果があります。今持っているお金を安定させたい人はベークドタイプ、もっとお金を増やしたい人はレアタイプがおすすめです。

モンブランなど栗を使ったスイーツも楽しみごとを運んでくれますが、これはなるべくなら旬を待って食べたいもの。というのも、栗のもつ金運パワーは、秋になると何倍にもなるためです。さらに、秋に栗のお菓子を食べると、「楽しいことが起こる」という効果

が次の年までずっと続くとも言われています。

さらに金運を豊かにしたいなら、こういった「こってり&とろり」スイーツと、フルーツシャーベットを交互に食べるのもいいでしょう。「金」の気と「水」の気が一緒になることで、より充実度が高まります。

チョコレートケーキや小豆スイーツで「金毒流し」

お菓子の中でもガトーショコラやチョコレートムースなどは、お金を増やすというよりは金毒を浄化してくれるスイーツ。チョコレートに含まれるカカオ豆は悪い運気をリセットしてくれる作用があるので、嫌なことがあったとき、気持ちが落ち込んだときに食べるのも効果的です。ちなみに、うれしいことがあったときは、フルーツやクリームで美しくデコレーションされたケーキを食べると、喜びごとの運気がさらにふくらみます。

なお、和菓子は洋菓子ほど「金」の気が強くありませんが、金毒浄化効果のある小豆を使ったお菓子は、定期的に食べると金毒が流れやすくなります。また、秋に食べるなら栗入りの和菓子もおすすめです。

金運を呼び込むお酒とおつまみ

お酒は楽しく飲んで金運アップ

お酒は料理をおいしくし、食事の席を楽しく盛り上げてくれる重要な飲み物です。金運アップを目指すなら、楽しく豊かに飲むのが基本ルール。酒の席で愚痴や泣き言を言ったり、相手にからんだりするのは、金運だけでなくさまざまな運気を下げることにつながりますから気をつけましょう。

また、「お酒なら何でもいい」という飲み方も金運ダウンのもと。自分が飲むものにこだわりをもち、楽しく味わいながら飲むことが大切です。金運アップのためには、ひとりで飲むより大勢で飲むほうがいいので、「地酒を飲む会」「ワインとチーズを楽しむ会」など、友人同士でお酒を飲む集まりを催すのもいいでしょう。

グラスやおつまみにも気を配りましょう

自宅でお酒を楽しむときは、ワイングラスやぐい飲みといった「器」にもこだわりましょう。特にワイングラスにこだわると、同じワインからより強力な金運を得ることができます。グラス選びのコツは、価格より自分が気に入るかどうか。持ってみてしっくりくるものを選びましょう。

また、お酒をよりおいしくするおつまみにも気を配りましょう。おつまみはお酒に合うものなら何でもかまいませんが、より強力に金運を呼び込みたいなら、チーズを使ったピザやリゾットを。フレッシュタイプやウォッシュタイプのチーズをそのままつまむだけでもいいでしょう。貯蓄運を上げたいなら、牛肉のカルパッチョ、楽しく使えるお金を増やしたいなら焼き鳥もおすすめです。

赤ワインには金運がたっぷり

お酒の中でも金運に効くのは、ワインやウイスキー、紹興酒、泡盛の古酒など、熟成させて飲むお酒。とりわけ、赤ワインは「豊かさ」を象徴するお酒で、「金」の気を活性化させて豊かさや楽しみごとをもたらしてくれると同時に、金毒を取り除いてくれる作用があります。おまけに、女性の運気を豊かにしてくれるというプラスアルファの効果もあるので、女性にとっては金運ナンバーワンのお酒と言えます。ただし、同じ赤ワインでもボジョレーヌーボーは熟成されていないタイプなので例外。ボジョレーヌーボーを飲むときは、そのあとに熟成された赤ワインを飲んで、金運を補充しましょう。また、白ワインは浄化のパワーが強く、金運アップの作用はそれほどありません。

そのほか、梅酒や杏酒のように果実を漬け込んだお酒も、実りや豊かさをもたらしてくれます。カクテルのように甘いお酒も金運アップに効果的ですが、ジンやラムなど「火」

の気をもつお酒をベースにしたものより、日本酒やワイン、ウイスキー、ブランデーなどをベースにしたものを選んだほうがいいでしょう。

赤ワイン風呂で金毒デトックス

買ってみたもののあまりおいしくなかったワインや、半端に飲み残してしまったワイン、どうしていますか？　そんなときにおすすめなのが、ワイン風呂。赤ワインにはたまった金毒を取り除いてくれる効果があるので、入浴剤がわりにお風呂に入れてみてはいかがでしょう。体にたまった金毒が浄化され、豊かさや楽しみごとがやってきやすくなります。

ワインの量は好みですが、少量だと効果がないので、少なくともコップ1杯くらいは入れてください。もしたくさん余っているなら、たくさん入れてしまってかまいません。ただし、入浴後のお湯をそのままにしておくと浴槽に汚れがついてしまうので、お風呂から上がったらすぐにお湯を流すようにしましょう。

金毒《ごんどく》を寄せつけないキッチンお掃除術

キッチンは金運の要

風水では、「水」と「火」は相剋関係にあり、この2つの気の狭間に「金毒」が生じるということはすでにお話ししました。そういう意味で、「火」と「水」が混在しているキッチンは、まさに金運の要。キッチンが汚いとそこから金毒が生まれ、どんどん増えていってしまいます。

「うちはきちんと掃除しているから大丈夫」と思っている方も多いかもしれませんが、自分の家の汚れや臭いは慣れてしまうと気にならないもの。たまには「お客さん」になったつもりでキッチンを見直してみると、行き届いていない部分が見えてきますよ。

目に見えない「菌」「臭い」に注意

1章でお話ししたように、金毒は隠れている部分、見えない場所にたまっていく性質があります。たとえば、ふきんや手ふき用のタオル、キッチンスポンジなど。これらをぬれたまま置いておくと目に見えない雑菌がたまります。これが金毒のエサになるのです。ふきんやお手ふきは多めに用意し、使うたびにこまめに取り替えて。キッチンスポンジやまな板も頻繁に消毒するように心がけましょう。

生ゴミの臭いも金毒にとっては格好のエサ。捨てるのが面倒だからとため込んでおかず、こまめに捨てましょう。捨てるときは新聞紙などにくるんでから捨てると、臭いをある程度ブロックすることができますよ。

また、調味料のふたやビンの口に調味料がこびりついていたり、オイルポットのトレイにオイルがたまってべとついていたり……まめに料理をしている人ほど、こういった汚れがたまりやすいもの。キッチンが金毒の培養所になるのを防ぐためにも、1日の終わりに調味料入れをサッとふくなど、ちょっとした掃除を毎日の習慣にしましょう。

キッチンマットはこまめに洗うか抗菌素材に

キッチンの床に敷くキッチンマットは「貯める力」を生み出す大切なアイテム。ところが、ここが金毒の温床になっている家が案外多いのです。キッチンマットはぬれたり汚れたりするとじめじめしてカビや細菌が繁殖しやすくなります。ですから、敷きっぱなしは厳禁。こまめに洗っていつも清潔にしておきましょう。できれば何枚か洗い替えを用意しておくことをおすすめします。

ちなみに、金運アップに効果的なマットの色はベージュ、クリーム、アイボリー。自分は無駄遣いしやすいという自覚がある人は、ブラウンのマットを敷くと出費を引き締められます。なお、頻繁に洗うのが面倒な人は、抗菌素材のマットにしてもかまいません。また、キッチンの床がタイルの場合は、タイルに「貯める」気があるのでマットは敷かなくてもかまいませんが、床をこまめに水ぶきして清潔にしておくことは忘れないようにしましょう。

電子レンジや魚焼きグリルは使うたびに掃除を

キッチン家電の中で、もっとも強い「火」の気をもつ電子レンジも要注意です。最近の電子レンジは性能がよくなり、電磁波（＝悪い「火」の気）の影響を受けにくくなっていますから、電子レンジで調理をすること自体は、ほとんど問題ありません。ただし、内部が汚れているとやっぱり金運ダウンにつながってしまいますから、使うたびに重曹水でサッと水ぶきする習慣をつけましょう。

ちなみに、「水」の気をもつ冷蔵庫の上に電子レンジを置くのは、金毒の培養所を作るようなものですから、絶対にやめてください。もしスペースがなくてそこにしか置けないという場合は、冷蔵庫と電子レンジの間に、厚さ4センチ以上の板かレンガをはさみ、気を中和させるようにしましょう。

また、魚焼きのグリルも網や受け皿を洗わずに放置していると、金毒が寄ってくるだけでなく、金運を得るための行動を止めてしまうことになります。魚を焼いたら焦げ付きや油などはきれいに掃除し、臭いがこもらないようにしましょう。

◆「火」の汚れは重曹、「水」の汚れはクエン酸でエコ掃除

悪い「火」の気をもつ合成洗剤は、「金」の気を燃やしてしまうので、特にキッチンではできるだけ使いたくないもの。しつこい油汚れやカビなどの落ちにくい汚れに使う程度ならかまいませんが、それ以外はなるべく天然由来成分の洗剤を使いましょう。

重曹やクエン酸を使った「エコ掃除」も、ぜひ取り入れて。天然素材を使った掃除は、自分自身や環境に負担をかけないという点でもおすすめです。油汚れや鍋の焦げ付き、つまり悪い「火」の気を発する汚れを落としたいときには重曹を。重曹は汚れを落とすだけでなく、その空間の気を浄化してくれる強いパワーをもっているので、ガラスボトルなどに入れてキッチンや水回りに常備しておくと便利です。床や壁を水ぶきするときも、バケツの水に重曹を少し加えると、浄化効果が高まり、金毒がたまりにくくなります。

一方、クエン酸は運気を活性化し、金運を吸収しやすくしてくれる作用があります。水垢や野菜のアクによる汚れなど、悪い「水」の気をもつ汚れに強いのが特徴で、細菌の繁殖も防いでくれるので、ゴミ箱や水回りなどにスプレーしておくのもいいでしょう。

ゴミ処理で金運を「循環」させる

「金」の気は循環しながら大きくなっていくものなので、自分の生活の中に「循環するもの」を取り入れるのも金運を大きく育てることにつながります。たとえば、リサイクル。牛乳パックやペットボトル、アルミ缶などのリサイクルに積極的に協力すれば、キッチンのゴミを減らすことにもなり、一石二鳥です。

また、できれば家の中にも生ゴミ処理機などのリサイクルシステムを取り入れたいところです。毎日出るゴミを処理するのはかなり面倒ですし、生ゴミの臭いは金毒のエサにもなります。生ゴミ処理機などを使用すれば、金運の循環を促してくれるだけでなく、そういった金運へのマイナス要素も取り払うことができるので、おすすめです。

ベランダや庭でパセリやバジルなど食べられる植物を育てることも、金運を育てる開運行動になります。ただ育てて楽しむのではなく、「育てたものを食べる」ことでその植物の命を循環させ、金運の循環サイクルを大きくしていくことができますよ。

運気が上がる水選び

きれいな水を飲むのは、金運アップの大原則。

外国産や国産のミネラルウォーターを飲み比べるのも楽しいものです。ちなみに、アクティブな気分のときは「動」の気をもつ外国産の水を、力を蓄えたいときには吸収率のいい国産の水を飲むことで、さらにラッキーになれますよ。

また、これは上級者向けですが、吉方位の水を選んで飲むのもおすすめです。吉方位というのは、自分にとっていい運をもたらしてくれる方位のこと。その方位で採取された水を飲むと、吉方位に旅行に出かけるのと同じ効果が得られるんです。マストではありませんが、どうせ飲むなら運気が上がる水を飲んだほうがいいですよね。

＊ご自分の吉方位を調べたい方は、『新版　絶対、運が良くなる旅行風水』（ダイヤモンド社刊）をご参照ください。

5章 金運風水Q&A

Q

「100年に一度の不況」とも言われる今、金運を上げることなんてできるのでしょうか。社会全体が不況にあえいでいるなか、どうすれば豊かになれるのか教えてください。

A

「金運が上がらないのは会社の給料が少ないせい」「不況だから仕方ない」と思っているとしたら、それは大きな考え違い。給料の少ない会社を選んだのはほかならぬあなた自身なら、「仕方ない」とあきらめているのもあなた自身。金運がないと感じるなら、それはほかの何もののせいでもなく、あなた自身のせいなのです。ですから、お金がないことを自分以外の何かのせいにしないこと。運というものは、あなた自身が作り出し、変えていくものだということを覚えておきましょう。社会がどんな状況であっても、あなたが変われば必ず金運は上がります。

金運を上げるためにもっとも大切なのは、不況モードに流されず、「不況だからこそ、私だけは楽しもう」という心意気をもつこと。「将来が不安だから」とむやみに貯め込むのではなく、たとえ1円でも死に金にはしない、すべてを生き金にするという気持ちでお金を使いましょう。そうやって楽しくお金を使えば使うほど、お金の循環の輪が大きくなっていくはずです。
また、お金が増えれば、金毒《ごんどく》もたまっていくもの。こまめに募金をし、金毒を流す習慣をつけることも金運を上げるコツですよ。

Q 給料が安く、金運を上げるどころか身動きもとれません。どうすればこの状態から脱することができるでしょうか？

A

本当にお金が好きで、お金がほしいと思っているなら、お金は必ず集まってきます。なのにそれができないのは、あなた自身が「身動きがとれない」「どんなにがんばっても無理」と思いこんでしまっているから。そう思えば思うほど、お金はあなたから離れていきます。お金を生み出すために必要なのは、自信。本当に豊かになりたいなら、「どうせダメなんだ」という思いこみを捨て、自分の金運に自信をもちましょう。
また、金運というのは豊かな土壌から生まれるもの。自分自身の土壌が枯れてしまっている人は、どんなにがんばってもお金を生み出すことはできません。ですから、まずは今の生活の中に「豊かさ」を少しでも取り入れて。おしゃれに気を配ったり、食卓に花を飾ったり、お気に入りのカップでゆっくりお茶を飲んだりするのも「豊かさ」につながります。

さらに、「もっとお金があったらこんなふうにしたい」と思い描いてみるのもいいでしょう。お気に入りのソファでゆったりくつろいでいる自分、海外旅行に出かけて楽しんでいる自分……そんな「豊かな自分」がイメージできる人は、たとえ今はお金がなくても、きっと金運を生み出すことができますよ。

Q 就職活動中です。これから働くならどういう会社を選ぶべきでしょうか。「金運のいい会社」を選ぶコツを教えてください。

A 会社選びというと、どうしてもその会社自体の業績に目がいきがちですが、会社がいくらお金をたくさん儲けていても、それが社員に還元されなければ

「金運のいい会社」とは言えませんし、給料がよくても、社員に無理を強いるような会社も金運のいい会社ではありません。ですから、業績と得られる収入、働く環境とのバランスをよく見極めることが大切です。

また、金運のいい会社の特徴は「遊び心」。遊び心のある企画やおもしろい発想を積極的に取り入れる会社には、金運が集まってきます。さらに、自社の利益を寄付やチャリティといった形で社会に還元している会社は、金毒がたまりにくいだけでなく、お金がスムーズに循環するため、そこで働く社員にもお金が回ってきやすくなります。逆に「お金さえ儲ければいい」という考えの会社は、金毒に侵されやすく、決して長続きしません。

外からは見えにくいオフィスの環境や社内の雰囲気も重要な要素です。面接のときにパワハラ、セクハラまがいの質問をする会社、オフィスの風通しが悪く、息が詰まるような会社は、たとえ業績がよくても避けたほうがいいでしょう。

Q 夫に借金があることが発覚しました。妻としてどう対応すればいいでしょうか。

A

借金というのは金運的には「マイナスの気」。金運はたとえスタートがゼロでもそこから増やしていくことができます。でも、マイナスの気から生じるものは何ひとつありませんし、マイナスの気が少しでもあると、そこにどんどんマイナスが集まってきてしまうため、そこからプラスに転じるのはとても難しいのです。借金がある限り、金運アップのスタート台にすら立てない状態だと言ってもいいでしょう。ですから、借金がある人は、それを1日も早く返済し、マイナスの気を消すしかありません。

このケースの場合、ご主人が借金をしているわけですから、本人がきちんと自覚して前向きに返済していくことが大事。そのサポートをするのがパートナーの役目です。「なんでそんなお金を借りたのよ！」「私は知らないわよ」などと、感情的にご主人をなじるのではなく、現実と向き合って理由をきちんと聞き、これからの返済プランを話し合いましょう。また、借金をしているとどうしても金毒が集まってきやすいので、こまめに空間浄化を心がけて。お風呂に塩を入れてソルトバスにしたり、ご主人に白い服を身につけさせたりするのも浄化効果がありますよ。

Q 賃貸の家に住んでいますが、持ち家がないので老後が不安。やはり、家や土地を買っておいたほうがいいでしょうか。

A 家が与えてくれる運は、持ち家でも賃貸でも全く関係ありません。たとえ賃貸でも、自分なりに環境をととのえ、居心地よく暮らしている人は、その家からたくさんの運をもらえるもの。ですから、持ち家にこだわる必要はありませんよ。

そもそも日本人は家や土地など、固定のものにこだわる「農耕民族タイプ」の人が多いのですが、そういう人は、「小金持ち」にはなれても、大きなお金を手に入れることはできません。

というのも、気というのは常に流れ、変化していくものなのに、目に見える「形あるもの」に固執していると、気の流れを止めてしまうことになるからです。大きなお金を手に入れることができるのは、家や土地にとらわれない「遊牧民タイプ」の人なのです。

もちろん、今、無理をせずに家や土地を買えるのであれば、買ってもかまいませんが、「せっかく家を買ったのだからここに住み続けなければ」「ここを終の棲家に」などと執着するのは、その土地や家に負担をかけ、かえって運を落とすことになるので気をつけましょう。また、家を買うために今の生活を切りつめるのは、豊かさを切りつめることになるので絶対にNGですよ。

Q 夫の親と同居していますが、離れて住んでいる義兄と折り合いが悪く、このままではいずれ遺産分けでもめることになりそう。遺産分けを円満に進めるためにできることはありますか？

A 遺産分けでもめるのは、故人の生前にきちんとした取り決めがされていないから。ご両親がまだご健在なのであれば、今のうちにきちんと遺産についての取り決めをしておくようにしましょう。

そもそも、子どもにまとまったお金を残そうと考えること自体、風水的にはあまりおすすめできることではありません。というのも、お金は自分で作り出していくものであって、親からもらうものではないからです。お子さんの金運を豊かにしてあげたいと思うなら、お子さんにお金を残すのではなく、自分でお金を作り出せるような子どもに育ててあげましょう。

また、遺される側の心構えとして、遺産とは自分のベースのないところにふってわいたお金であり、いわばプレゼントなのだという気持ちで受け止めることも大切です。プレゼントだと思えば、いただくだけでありがたいはず、ましてや取り分に文句を言うなどということは起こらないでしょう。

それでも、もめるのであれば、いっそ「遺産は受け取らない」という選択肢もあります。お金は確かに大切なものですが、親や兄弟との思い出や絆を壊してまで手に入れる価値があるものかどうか、よくご家族で話し合ってください。

Q 子育て真っ最中です。わが子を金運のいい子どもに育てるにはどんなところに気を配ればいいのでしょうか。

A

子どもがこの先、豊かな人生を送るかどうかの決め手は「食」。子どものころの食が充実しているかどうかで、その子の将来の金運が決まってきます。

といっても、特別料理がじょうずでなければならないとか、贅沢なものを食べさせなくてはならないという意味ではありません。

大事なのは食に対する気遣い。ごく普通のメニューでかまいませんから、いろいろな色、いろいろな味のものを食卓に並べるようにしましょう。たくさんの味を知れば知るほど、金運の土壌も広くなります。

また、食器は子どもの金運を生み出すベースですから、プラスチックの器はできるだけ避け、陶器や漆器などのきちんとした器を使いましょう。さらに、食べるときはランチョンマットを敷いてベース作りを。食べこぼしが気になるなら、大きめのプレートやトレイをマットの代わりに使ってもいいでしょう。

子どもにひとりだけで食事をさせるのは、子どもの運を落とすことにつながります。少なくとも1日1食は、家族そろって食事をとりたいもの。お父さんが仕事で忙しいなど、どうしても無理な場合は、週末だけでも家族で食卓を囲むように心がけましょう。

［著者］

李家幽竹（りのいえ・ゆうちく）

韓国・李朝風水師。「風水とは、環境を整えて運を呼ぶ環境学」という考え方のもと、衣・食・住、行動全般にわたる様々な分野でアドバイスを行っている。女性らしい独自のセンスで展開する風水論は幅広い層に支持されている。現在、テレビ・雑誌を中心に、講演・セミナー等でも活躍中。主な著書に、『ナンバー１風水師が教える運のいい人の仕事の習慣』『新版　絶対、運が良くなる旅行風水』（以上、ダイヤモンド社）、『おそうじ風水』（日本実業出版社）、『運のいい人になるためのお悩み解決風水』（中央公論新社）、『幸せを呼ぶインテリア風水』『幸せをつかむ恋愛風水』『運がよくなる仕事風水』（以上、光文社）など多数。

ホームページ　www.aqua-leaf.jp

お金に好かれる！　金運風水

2010年6月17日　第1刷発行

著　者――李家幽竹
発行所――ダイヤモンド社
〒150-8409　東京都渋谷区神宮前6-12-17
http://www.diamond.co.jp/
電話／03･5778･7234（編集）　03･5778･7240（販売）
装丁――――森　裕昌
イラスト――小林　晃
編集協力――高橋美紀（la maison du citron）
木村涼子
製作進行――ダイヤモンド･グラフィック社
印刷――――勇進印刷（本文）・加藤文明社（カバー）
製本――――ブックアート
編集担当――佐藤和子

ISBN 978-4-478-01336-6